Das magische Baumhaus

Band 47
Im Bann des schwarzen Hengstes

Alle **Baumhaus-Bände** auf einen Blick:

Das magische Baumhaus

Mary Pope Osborne

Im Bann des schwarzen Hengstes

Aus dem Amerikanischen
übersetzt von Sandra Margineanu
Illustriert von Petra Theissen

Loewe

Für Phoenix Valentine van Rhyn

FSC
www.fsc.org

MIX
Papier aus ver-
antwortungsvollen
Quellen
FSC® C083411

ISBN 978-3-7855-7891-9
1. Auflage 2014
Titel der Originalausgabe: *Stallion by starlight*
Copyright Text: © 2013 Mary Pope Osborne
Copyright Illustrationen: © 2014 Loewe Verlag GmbH, Bindlach
Alle Rechte vorbehalten.
Erschienen in der Original-Serie Magic Tree House™
Magic Tree House™ ist eine Trademark von Mary Pope Osborne,
die der Originalverlag in Lizenz verwendet.
Veröffentlicht mit Genehmigung des Originalverlags,
Random House Children's Books, a division of Random House, Inc.
© für die deutschsprachige Ausgabe: Loewe Verlag GmbH, Bindlach 2014
Aus dem Amerikanischen übersetzt von Sandra Margineanu
Umschlagillustration: Jutta Knipping
Innenillustration: Petra Theissen
Printed in Germany

www.loewe-verlag.de

Inhalt

WIE ALLES ANFING

Eines sonnigen Tages tauchte ein
geheimnisvolles Baumhaus im Wald von
Pepper Hill in Pennsylvania auf.
Die Geschwister Philipp und Anne fanden
schnell heraus, dass in diesem Baumhaus
Zauberkräfte schlummerten, denn sie
konnten damit nicht nur zu allen
Orten der Welt reisen, sondern auch
kreuz und quer durch die Zeit.
Das Baumhaus gehörte der Zauberin
Morgan. Sie war Bibliothekarin am Hofe
von Camelot, im sagenhaften Königreich

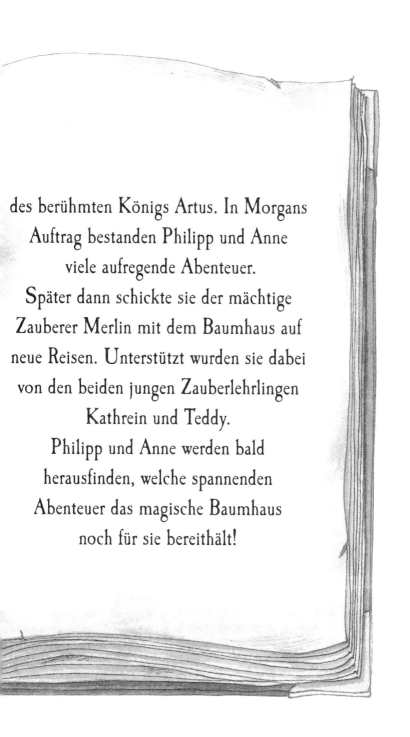

des berühmten Königs Artus. In Morgans
Auftrag bestanden Philipp und Anne
viele aufregende Abenteuer.
Später dann schickte sie der mächtige
Zauberer Merlin mit dem Baumhaus auf
neue Reisen. Unterstützt wurden sie dabei
von den beiden jungen Zauberlehrlingen
Kathrein und Teddy.
Philipp und Anne werden bald
herausfinden, welche spannenden
Abenteuer das magische Baumhaus
noch für sie bereithält!

Der Ring
der Wahrheit

„Ich lese gern in deinem Notizbuch",
sagte Anne. „Dann kann ich mich noch
besser an unsere Abenteuer erinnern."
Sie blätterte ein paar Seiten weiter. „Ah,
Eisbären am Nordpol. Die Kleinen waren
so süß … und Pompeji und der Vulkan!
Weißt du noch? Und Herkules!"

„Ja", murmelte Philipp, ohne aufzusehen.

Es war ein warmer Junitag. Philipp und
Anne saßen auf der Veranda vor ihrem
Haus. Während Anne durch das Notizbuch
blätterte, las Philipp in einem Buch über
Pandas in China.

„Oh!", machte Anne beim Weiterlesen.
„Die Geisterstadt im Wilden Westen! Der
unsichtbare Klavierspieler, erinnerst du
dich?"

„Hm."

Anne blätterte wieder eine Seite um
„Und Australien. Das kleine Känguru,
der Koala, die Dingos! Das Buschfeuer!"

Philipp sah auf. „Ja", sagte er.

„Das war alles toll, aber ich kann mich jetzt nicht unterhalten. Ich will die letzte Seite in meinem Buch lesen."

„Du brauchst bald ein neues Notizbuch. Das hier ist fast voll." Anne klappte das Buch zu und steckte es in Philipps Rucksack. Sie streckte sich. „Ich glaube, ich fahre ein bisschen mit dem Fahrrad rum", sagte sie. „Vielleicht mache ich halt an der Bücherei … oder am Schwimmbad."

Philipp schloss ebenfalls sein Buch. „Fertig!", sagte er. „Jetzt brauche ich etwas Neues zu lesen. Ich komme mit zur Bücherei."

Er schulterte gerade seinen Rucksack, als er etwas aus dem Augenwinkel bemerkte. Schnell drehte er sich um … und traute seinen Augen nicht!

Ein kleiner Pinguin stand auf dem Bürgersteig vor ihrem Haus.

„Penny?", fragte Philipp.

„Oh!", rief Anne. „Oh! Oh! Oh!" Sie rannte zum Gartentor.

Philipp rannte hinter ihr her. Sie knieten sich beide neben den kleinen Pinguin.

„Was machst du denn hier?", fragte Anne.

Philipp nahm Penny auf den Arm und sie streichelten dem kleinen Pinguin über den flaumigen Kopf. „Was ist los, Penny?", fragte er. „Warum bist du hier?"

„Piep!"

„Das Baumhaus!", sagte Anne. „Es muss wieder da sein."

„He, ihr zwei!", rief in diesem Moment ihr Vater von der Verandatür.

Anne stellte sich schnell vor Philipp und versteckte den kleinen Pinguin hinter ihrem Rücken. „Was ist, Papa?", fragte sie.

„Ich habe frische Limonade gemacht", erwiderte ihr Vater.

„Danke!", sagte Anne. „Wir trinken sie, wenn wir zurückkommen."

„Wir wollen nur mal kurz in den Wald", erklärte Philipp.

„In Ordnung. Ich stelle sie in den Kühlschrank", sagte ihr Vater.

„Danke", rief Philipp. „Bis später!"

„Los, gehen wir!", sagte Anne.

Mit Penny im Arm lief Philipp mit Anne

den Bürgersteig entlang. „Bist du mit Teddy und Kathrein hergekommen?", fragte er den kleinen Pinguin.

„Piep!"

„Heißt das ja oder nein?", wollte Philipp wissen.

„Piep!"

„Ja", sagte Philipp.

„Nein", sagte Anne im gleichen Moment.

„Wir werden es bald herausfinden", meinte Philipp.

Die Geschwister überquerten die Straße und liefen in den Wald von Pepper Hill. Sie eilten durch das grüne Dämmerlicht. Die Luft roch nach Sommer. Eichhörnchen huschten die Bäume hinauf und Vögel zwitscherten.

Als Philipp und Anne zur größten Eiche kamen, blieben sie stehen. Das Baumhaus saß oben in der Baumkrone. Eine lange Strickleiter baumelte herab.

„Teddy! Kathrein!", rief Anne.

Niemand antwortete.

„Piep!"

„Bist du ganz allein gekommen?",

fragte Philipp Penny. „Stimmt etwas nicht in Camelot? Geht es Teddy und Kathrein gut? Was ist mit Morgan und Merlin?"

„Lass uns hochklettern!", sagte Anne. Sie machte sich an den Aufstieg. Philipp kletterte mit dem kleinen Pinguin im Arm langsam hinter ihr her.

„Oh, Wahnsinn!", sagte Anne, als sie das Baumhaus betrat.

„Warum?", fragte Philipp. Er hob Penny ins Baumhaus und krabbelte hinein.
„Oh, Wahnsinn", flüsterte er dann selbst.

Ein alter Mann mit einem langen weißen Bart, einem spitzen, mit Sternen verzierten Hut und einem roten Umhang stand in einer schattigen Ecke.

„Merlin", wisperte Anne.

„Penny hat euch also gefunden", sagte der Magier aus Camelot mit seiner samtigen Stimme. Der kleine Pinguin watschelte zu Merlin und stellte sich neben ihn.

„Ja", erwiderte Philipp. „Sie stand direkt vor unserem Haus."

„Ist etwas passiert?", fragte Anne.

„Nein, alles ist in Ordnung", antwortete Merlin. „Euren Freunden geht es gut. Ich wollte euch nur selbst besuchen."

„Wie schön", sagte Philipp schüchtern. Merlin war noch nie allein nach Pepper Hill gekommen.

„Ich erzähle euch, was mir seit einer Weile durch den Kopf geht", sagte Merlin. „Ich habe mir viele Gedanken gemacht und über Fragen sinniert, die Frauen und Männer seit Jahrhunderten beschäftigen."

„Sinniert?", fragte Anne.

„Das bedeutet, tief und gründlich nachdenken", sagte Philipp. „Stimmt doch?", fragte er Merlin.

„Genau", erwiderte Merlin.

„Ich habe über Fragen des Lebens sinniert. Zum Beispiel über den Begriff der Größe. Was ist das Geheimnis wahrer Größe? Wodurch wird jemand zu einer großartigen Person?"

„Das ist eine gute Frage", meinte Philipp.

„Ich kann die Frage nicht beantworten, weil ich nicht in eurer Welt lebe – in der Welt der Vergänglichkeit und der Sterblichen", erklärte Merlin. „Deshalb werde ich euch auf vier Missionen schicken. Ihr werdet auf euren Reisen Menschen begegnen, die euch helfen werden, das Geheimnis wahrer Größe herauszufinden."

„Das klingt spannend", sagte Anne.

„Das hoffe ich", erwiderte Merlin schmunzelnd. „Würde es euch gefallen, als Erstes jemanden zu treffen, den man Alexander den Großen nannte?"

„Oh, Mann. Ich habe schon von ihm gehört", sagte Philipp.

„Ich nicht", meinte Anne. „Aber das klingt so, als wäre er … hm, großartig."

Merlin lächelte.

„Darf ich eine Frage stellen?", bat Philipp.

„Natürlich", antwortete Merlin.

„Woran können wir erkennen, dass wir das Geheimnis wahrer Größe gefunden haben?", fragte Philipp.

„Darüber habe ich auch nachgedacht", erzählte Merlin. „Ich habe euch etwas Magisches mitgebracht, das euch helfen wird." Der Magier griff in seine Umhangtasche und zog einen schmalen Goldring heraus. „Ich nenne ihn den Ring der Wahrheit."

„Der Ring der Wahrheit", wiederholte Anne ehrfürchtig.

„Ich habe einen Zauber über den Ring gelegt", sagte Merlin. „Nehmt ihn mit auf eure Reisen. Wenn ihr ein geheimes Merkmal wahrer Größe entdeckt, dann leuchtet er."

„Darf ich ihn anstecken?", fragte Anne.

Merlin nickte. Anne streckte ihm ihre Hand hin und der Zauberer schob ihn auf ihren Ringfinger.

„Ich habe euch noch etwas anderes mitgebracht", sagte Merlin. Er steckte wieder die Hand in den Umhang. Diesmal zog er eine kleine Glasflasche heraus. Silberne Nebelschwaden waberten darin herum.

„Diesen Nebel habe ich im ersten Licht des Neumonds auf der Insel Avalon gesammelt", erklärte Merlin.

„Wahnsinn", sagte Anne.

„Der magische Nebel wird es euch ermöglichen, wahre Größe in euch selbst zu finden", erklärte Merlin. „Wenn ihr Hilfe braucht, dann wünscht euch ein ungewöhnliches Talent. Atmet den Nebel ein und eine Stunde lang werdet ihr diese besondere Fähigkeit besitzen. Auf jeder Reise wirkt der Zauber aber nur ein Mal."

„Danke", sagte Philipp. Er nahm das Fläschchen und steckte es in seinen Rucksack.

„Morgan hat mich außerdem gebeten,
euch ein wichtiges Buch zu geben."
Der Magier steckte zum dritten Mal die
Hand in den Umhang und zog ein Buch
heraus.

„Ich habe noch nie von Mazedonien
gehört", sagte Philipp.

„Es ist das Königreich, in dem Alexander
geboren wurde", erzählte Merlin. „Die
Mazedonier waren kriegerisch und streitlustig, also reist mit Vorsicht."

Kriegerisch? Streitlustig? Philipp hätte
gern noch mehr erfahren.

Merlin nahm Penny hoch und hob zum
Abschied die Hand. „Geht jetzt!", sagte
er. „Viel Glück."

„Tschüs, Merlin. Tschüs, Penny",
sagte Anne.

„Piep!"

„Wartet …", begann Philipp.

Aber bevor er noch eine weitere Frage
stellen konnte, waren Merlin und Penny
verschwunden.

„Los geht's", sagte Anne und deutete
auf das Buch über Mazedonien. „Ich
wünschte, wir wären dort", sagte sie.

Wind kam auf.

Das Baumhaus fing an, sich zu drehen.

Es drehte sich schneller und immer
schneller.

Dann war alles wieder still.

Totenstill.

Nicht stehen bleiben!

Philipp und Anne trugen Tuniken mit weichen Gürteln und geschnürte Sandalen. Philipps Rucksack hatte sich in eine Stofftasche verwandelt. Er sah hinein. Sein Notizbuch, sein Stift und das Fläschchen mit dem magischen Nebel von der Insel Avalon waren noch da.

„Solche Kleider haben wir damals in Pompeji getragen", stellte Anne fest.

„Ja, und als wir bei den Olympischen Spielen waren", sagte Philipp.

„Als du bei den Spielen warst", berichtigte Anne ihn. „Mädchen haben sie ja nicht reingelassen, erinnerst du dich?"

„Oh, stimmt", erwiderte Philipp. „Du hast beinahe einen Aufstand verursacht, als du dich reinschleichen wolltest."

„Das war nicht meine Schuld", sagte Anne.

Philipp und Anne sahen aus dem Fenster des Baumhauses. Die Luft war trocken und heiß. Die Sonne stand hoch am wolkenlosen Himmel. Das Baumhaus befand sich nicht sehr weit über dem Boden. Es saß auf den Ästen eines weit-ausladenden Olivenbaums. Esel und Pferde trotteten eine gewundene Straße entlang.

„Sieht nach einem ruhigen, friedlichen Ort aus", meinte Anne. „Gar nicht kriegerisch."

„Ich frage mich, was Merlin gemeint hat", sagte Philipp. Er öffnete das Buch und las laut vor:

Vor mehr als 2300 Jahren war Mazedonien ein Königreich nördlich von Griechenland. Es wurde von König Philipp dem Zweiten regiert, dem Vater von Alexander dem Großen. Der kluge und grausame König war weit und breit für seine militärischen Fähigkeiten bekannt.

„Der heißt ja so wie ich!", rief Philipp. „Und klug bin ich natürlich auch!", fügte er grinsend hinzu. „Aber grausam … das hört sich nicht so gut an. Passt allerdings zu dem, was Merlin gesagt hat."

„Keine Sorge, wir haben doch Magie dabei, die uns ein besonderes Talent verleiht", meinte Anne. „Wir könnten uns zum Beispiel wünschen, auch solche militärischen Fähigkeiten zu haben."

„Das kann ich mir nicht vorstellen", entgegnete Philipp zweifelnd.

„Das finden wir später heraus. Jetzt lass uns erst mal nach Alexander dem Großen suchen!", sagte Anne. Sie kletterte die Strickleiter hinunter. Philipp packte das Buch ein und folgte ihr.

Mehrere Männer auf Eseln ritten vorbei.

Anne wollte nach ihnen rufen, aber Philipp hielt sie zurück. „Nicht! Die Leute könnten uns Fragen stellen, die wir nicht beantworten können", erklärte er.

„Aber ich wollte doch nur fragen, ob sie wissen, wo Alexander der Große wohnt", sagte Anne.

„Lass uns erst mal ein bisschen rumschauen", meinte Philipp. „Bis wir wissen, wie es hier so ist."

Anne seufzte, aber sie folgte Philipp die staubige Straße entlang. Sie kamen an steinigen Wiesen vorbei, auf denen Kühe grasten, und an Bauernhöfen, Hühnern und Weinbergen. Sie sahen einen Schäfer, der seine Schafe hütete. Einen Gänsehirten mit seinen Tieren und einen Bauern, der mit einem Ochsen sein Feld pflügte.

„Können wir jetzt jemanden fragen?", wollte Anne wissen.

„Lass uns noch warten", meinte Philipp. „Ich will die Aufmerksamkeit nicht auf uns lenken, solange es nicht unbedingt sein muss."

Sie gingen weiter und kamen an großen
Felsen vorbei. Hinter einer Steinmauer
lag ein riesiges Feld. Tausende Krieger
marschierten dort auf und ab.

„Huch!", sagte Anne. Sie und Philipp
blieben stehen und starrten die Soldaten
an.

„Das muss das Heer des Königs sein",
vermutete Philipp.

Die Soldaten trugen Rüstungen und
Helme mit großen Federbüschen. Jeder
Mann hielt in der einen Hand einen ovalen
Schild und in der anderen einen langen
spitzen Speer. Hinter den Fußsoldaten
ritten viele Reihen Krieger auf Pferden.

„Sie üben doch nur, oder?", fragte Anne.

„Ich hoffe es", erwiderte Philipp. „Ich sehe jedenfalls keine Angreifer." Er zog das Buch aus der Tasche und blätterte ein Kapitel mit der Überschrift *Das Heer des Königs* auf. Er las laut vor:

Zur Lebzeit von König Philipp II. wurde Mazedonien von allen Seiten bedroht, nicht nur durch Grenzkämpfe mit feindlichen Stämmen, sondern auch durch die persische Armee. König Philipp ließ seine Männer Tag und Nacht trainieren, bis sein Heer die beste Kampfmaschine der damaligen Welt war.

Philipp sah wieder zu den Soldaten. Sie marschierten nach rechts und dann nach links. Die Männer in der ersten Reihe deuteten mit ihren Speeren nach vorn. Die anderen deuteten mit den Speerspitzen nach oben. Alle Männer bewegten sich gleichzeitig in perfekter Harmonie. Ihre Helme, Schilde und Speere glänzten in der Sonne.

„Sie sehen wirklich wie eine Kampfmaschine aus", sagte Anne.

In Philipps Augen sahen sie eher aus wie ein riesiges Insekt mit Tausenden Beinen und Stacheln, die aus seinem Körper ragten. Er schauderte. „Lass uns von hier verschwinden!"

Die Geschwister liefen weiter die staubige Straße entlang. Schließlich kamen sie zu einer Stadtmauer, die hinter einem Olivenwald lag. Auf einem Hügel über der Stadt sah man ein weißes Gebäude mit hohen Säulen.

„Vielleicht wohnen König Philipp und Alexander dort oben in dem großen Haus", sagte Anne und deutete darauf.

Philipp und Anne traten durch das Stadttor und liefen in Richtung Marktplatz. Auf der Straße kämpften ein paar Jungen mit Stöcken. „Hallo!", rief Anne.

„Nicht!", sagte Philipp.

Es war zu spät. Die Jungen hörten auf zu kämpfen und starrten sie an.

„Wohnt König Philipp von Mazedonien auf dem Hügel?", fragte Anne und deutete zu dem Haus mit den Säulen.

Die Jungen sahen Anne grimmig an.

Philipp packte Anne am Arm und zog sie weiter. „Nicht stehen bleiben", flüsterte er. „Geh nach rechts!"

„Danke trotzdem!", rief Anne. Sie und Philipp gingen weiter und bogen an der nächsten Ecke rechts ab. „Die waren nicht sehr nett", sagte Anne.

„Ach was!", spottete Philipp. „Hör zu, lenk die Aufmerksamkeit nicht auf uns! Das sind hier kriegerische Menschen!"

„Das waren doch nur Kinder", meinte Anne.

„Egal, halt den Kopf gesenkt und bleib ganz ruhig!", sagte Philipp.

„Ich bin ganz ruhig", antwortete Anne.
„*Du* solltest dich besser beruhigen."

Philipp und Anne kamen zum Marktplatz,
wo Verkaufsstände und Wagen standen.
Rund um den Platz führte ein überdachter
Bogengang.

„Wollen wir da rüber in den Schatten
gehen?", fragte Philipp. Die Hitze setzte
ihm langsam zu.

„Klar", sagte Anne.

Sie gingen zu dem Bogengang hinüber.
Am Rand befanden sich Geschäfte, in
denen Männer Geschirr, Schmuck und
Waffen verkauften.

Philipp blieb stehen und sah einigen Waffenschmieden zu. „Was das wohl werden soll?", überlegte Philipp.
Ein Schmied hob mit einer Zange ein Stück rot glühendes Metall aus dem Feuer und ein anderer hämmerte es in Form.

„Oh, ein Schwert", sagte Philipp. Er zog sein Notizbuch und seinen Stift heraus. Dann klappte er das Buch auf und schrieb:

Schwertmacher erhitzen Eisen, hämmern mit

Bevor Philipp fertig schreiben konnte, stupste Anne ihn an. „Pass auf, du lenkst die Aufmerksamkeit auf dich", flüsterte sie.

„Was?", Philipp sah hoch.

Die Schmiede starrten ihn an.

„Vielleicht denken sie, dass du Militärgeheimnisse stiehlst", wisperte Anne.

„Oh, oh", machte Philipp. „Gehen wir."

Er drückte sein Notizbuch an die Brust und eilte weiter. Anne folgte ihm durch den Bogengang.

Philipp sah über die Schulter. „Sie verfolgen uns!"

„Hier entlang!", sagte Anne. Sie packte Philipp am Arm und zog ihn auf den überfüllten Marktplatz hinaus. Schnell wuselten sie an Essensständen vorbei, wo gefüllte Weinblätter, Eier, Fisch, Käse und Brot verkauft wurden.

Anne sah sich um. „Sie suchen immer noch nach uns."

Die Schmiede standen in der Menge und schauten sich um. „Wir müssen uns verstecken", sagte Philipp.

„Wo?", fragte Anne.

„Ich weiß es nicht. Duck dich!", raunte Philipp.

Mit geduckten Köpfen gingen sie an einer Gruppe Jungen vorbei, die sich unter einem Stoffdach versammelt hatten. Die Jungen lauschten einem Mann mit lockigem Bart.

„Hier! Hier!", sagte Philipp.

Er zog Anne unter den Stoffbaldachin und sie mischten sich unter die Gruppe.

Die Jungen machten sich Notizen auf gewachste Holzbretter. Sie benutzten spitze Knochen, um die Worte in das Wachs zu ritzen.

„Tu so, als wärst du ein Schüler", wisperte Philipp seiner Schwester zu.

Während der Lehrer weitersprach, tat Philipp so, als ob er sich Notizen machen würde.

„Wie ihr alle wisst, ist die Erde der Mittelpunkt des Universums", sagte der Mann mit angenehm ruhiger Stimme.

„Das stimmt nicht", wisperte Anne.

„Sch", machte Philipp. „Früher haben die Menschen das eben gedacht." Er warf einen Blick auf den Marktplatz. Die Schmiede liefen an der Gruppe vorbei. Als sie weg waren, seufzte Philipp. „Gehen wir, bevor sie zurückkommen!"

Anne bewegte sich nicht. Sie hörte dem Lehrer aufmerksam zu. „Die Sonne und die Planeten kreisen um die Erde", erklärte der Mann.

„Das ist total falsch", flüsterte Anne Philipp zu.

„Ist doch egal", sagte Philipp. „Wir müssen gehen. Wir müssen …"

„Aber wir können ihn doch nicht etwas Falsches unterrichten lassen", meinte Anne.

„Vergiss es!", sagte Philipp. „Wir …"

Bevor Philipp seinen Satz beenden konnte, hob Anne die Hand. „Entschuldigung!", rief sie. „Die Erde ist nicht das Zentrum des Universums!"

Große Denker

„Haha", lachte Philipp, als ob Anne verrückt wäre. „Achtet nicht auf sie! Wir wollten gerade gehen."

„Du widersprichst unserem Lehrer? Wer bist du?", fragte ein Junge.

„Wie kann es ein Mädchen wagen, ihn zu beleidigen!", rief ein anderer. Er hob drohend seine Faust.

„Sie hat niemanden beleidigt", erklärte Philipp. „Aber keine Sorge, wir gehen jetzt." Er fasste Anne am Arm und zog sie mit sich.

„Bleibt!", befal der Lehrer.

Philipp und Anne erstarrten.

„Erzählt mir mehr", sagte der Mann. „Es kommt selten vor, dass ich überrascht werde – und du hast mich überrascht. Wie meintest du das, als du sagtest, die Erde sei nicht das Zentrum des Universums?"

„Nun", erklärte Anne, „die Erde ist ein Planet und alle Planeten in unserem Sonnensystem kreisen um die Sonne."

Der Lehrer lächelte. „Das glaubst du
also?", fragte er.

„Das glaube ich nicht nur, das weiß ich",
antwortete Anne. „Das Umkreisen der
Sonne dauert ein Jahr."

Die Schüler lachten. „Du redest Unsinn",
sagte einer. „Und du verschwendest die
kostbare Zeit unseres Lehrers Aristoteles."

„Aristoteles?", dachte Philipp. Er kannte
diesen Namen. Angestrengt versuchte er
sich zu erinnern, wer Aristoteles war.

„Ich erzähle euch nur die Wahrheit",
sagte Anne. „Während die Erde die Sonne
umkreist, dreht sie sich um ihre eigene
Achse. Eine Umdrehung dauert einen
Tag."

Die Jungen kicherten, aber Aristoteles war still. „Was für eine ungewöhnliche Idee", sagte er leise. Dann wandte er sich an die Jungen. „Der Unterricht ist für heute beendet. Ich möchte mich allein mit unseren beiden Besuchern unterhalten."

Die Jungen murrten, aber sie steckten ihre Bretter unter den Arm und gingen hinaus auf den Platz.

Aristoteles starrte Philipp und Anne an. „Wer seid ihr? Woher kommt ihr?", fragte er.

„Ich heiße Anne. Das ist Philipp, mein Bruder. Und … äh … wir kommen aus Pepper Hill."

„Pepper Hill?", wiederholte Aristoteles.

„Das ist westlich von Griechenland", erklärte Philipp.

„Und wer sind Sie?", fragte Anne.

„Mein Name ist Aristoteles. Ich komme aus Athen in Griechenland, um Philosophie und Wissenschaften in Mazedonien zu unterrichten."

Philipp keuchte. Jetzt erinnerte er sich!

Aristoteles war im alten Griechenland ein großer Philosoph und Wissenschaftler gewesen. Bei einer ihrer früheren Reisen hatten sie seine Schriften dem Herrscher von Bagdad bringen sollen.

„Wir haben schon von Ihnen gehört", sagte Anne. „Sie sind ein großer Denker. Einmal haben wir Ihre Schriften gerettet, aber dann hat sie ein Kamel gefressen." Sie lachte. „Damals war es nicht so lustig. Aber …"

„Anne", sagte Philipp warnend. Er schüttelte den Kopf. Sie würden ihr Abenteuer in Bagdad niemals erklären können, denn das hatte viel später statt-gefunden – über tausend Jahre nach der Lebzeit von Aristoteles. „Meine Schwester hat eine große Vorstellungskraft", sagte er.

„So scheint es", erwiderte Aristoteles. „Ihre Vorstellung vom Universum ist völlig falsch, aber ich bin erstaunt, dass sie überhaupt eine Vorstellung davon hat."

„Wie meinen Sie das?", fragte Anne.

„Ich dachte, Mädchen hätten nicht die

Fähigkeit, über solche Dinge nachzu-
denken", sagte Aristoteles.

Anne sah Philipp an. „Er macht Spaß,
oder?", fragte sie.

Philipp lachte nervös. „Äh, nein", sagte
er. „Das glaubten die Menschen vor langer
Zeit."

Anne runzelte die Stirn und wollte etwas
sagen, aber Aristoteles lächelte sie an.
„Du musst ein ganz besonderes Mädchen
sein. Kommt, lasst uns spazieren gehen
und reden! Dann könnt ihr mir beweisen,
was für große Denker ihr zwei seid."

Philipp und Anne liefen neben dem
Philosophen über den Marktplatz.

„Über was außer dem Universum denkst du noch nach?", fragte Aristoteles Anne.

„Hm … ich denke viel an Tiere", antwortete sie.

„Wunderbar. Tiere zeigen uns die Schönheit der Natur", sagte Aristoteles. „Beobachtest du sie?"

„Ich beobachte sie", sagte Anne. „Aber ich liebe sie auch, deshalb lerne ich so viel über sie."

„Ah, sehr gut", erwiderte Aristoteles. „Um etwas wirklich zu verstehen und zu lernen, muss auch das Herz mitspielen. Und wofür schlägt dein Herz, Philipp? Magst du Sport? Oder Militärtraining?"

Philipp schüttelte den Kopf. „Ich bin nicht so gut im Sport", sagte er. „Und Militärtraining mache ich auch keins. Aber ich forsche gern. Ich mache mir Notizen zu allem und jedem." Philipp fiel es leicht, sich mit dem Philosophen zu unterhalten. „Ich liebe es, Dinge über den Regenwald oder die Tiefsee oder den Mond herauszufinden. Mich interessiert eigentlich alles und ich lerne liebend gern."

„Ich auch", sagte Anne.

„Wirklich?", fragte Aristoteles. „Ihr zwei seid erstaunlich!"

Philipp zuckte mit den Schultern. „Nein, wir wissen nur, was wir mögen. Wir kennen uns eben selbst sehr gut."

„Scheint so", meinte Aristoteles. „Sich selbst zu kennen, ist der Beginn allen Wissens."

„Je mehr Philipp und ich über die Welt lernen, desto mehr lernen wir über uns selbst", sagte Anne. „Wir probieren immer wieder Neues aus."

„Ja, auch wenn wir uns damit manchmal lächerlich machen", sagte Philipp. „Vor allem ich."

Aristoteles lachte. „Ich denke, jeder von uns sollte sich ab und zu zum Narren machen", sagte er. „Denn jeder, der sich davor fürchtet, als Narr dazustehen, ist ein Niemand und sollte nichts sagen und nichts tun."

„So ist es", sagte Anne.

„Darf ich fragen, warum ihr nach Mazedonien gekommen seid?", fragte

Aristoteles. „Hat euer Besuch einen bestimmten Grund?"

„Den hat er", erwiderte Philipp lachend. Er genoss das Gespräch mit Aristoteles so sehr, dass er ihre Mission ganz vergessen hatte. „Wir suchen nach Alexander dem Großen."

„Kennen Sie ihn?", fragte Anne.

„Ich kenne einen Prinzen, der Alexander heißt. Er ist der Sohn von Philipp", sagte Aristoteles.

„Das ist er!", rief Anne.

„Aber ich würde ihn nicht groß nennen", meinte Aristoteles. „Er ist erst zwölf Jahre alt."

„Zwölf?", wiederholte Philipp.

„Ja. Alexander ist der Grund, warum ich nach Mazedonien gekommen bin", erklärte Aristoteles. „In ein paar Wochen wird der Prinz dreizehn, dann werde ich sein Lehrer. Warum sucht ihr nach ihm?"

„Wir würden gern ein bisschen Zeit mit ihm verbringen", sagte Anne. „Wir haben gehört, dass er … nun ja … großartig sein soll."

Aristoteles seufzte. „Dem Prinzen würde es gefallen, wenn man so von ihm denken würde", sagte er. „Nun, wenn ihr ihn treffen wollt … König Philipp hält heute Nachmittag eine Versammlung in seinem Haus ab. Es ist ganz in der Nähe." Aristoteles deutete zu dem Gebäude auf dem Hügel. „Der Prinz wird auch da sein. Wollt ihr mich begleiten?"

„Ja!", riefen Anne und Philipp gleichzeitig.

„Gut. Dann lasst uns den Hügel erklimmen!", sagte der Philosoph und betrat einen Pfad, der zum Königshaus hinaufführte.

Philipp und Anne grinsten sich an und
folgten ihm. „Das ist fantastisch", sagte
Philipp leise. „Vielleicht ist unsere Mission
einfacher, als ich dachte."

Als sie die Spitze des Hügels erreichten,
war Philipp von der Schlichtheit des königlichen Hauses überrascht. Es sah aus wie
eine große weiße Schachtel mit Ziegeldach
und einfachen Säulen. Zwei Wachsoldaten
mit Helmen standen wie Statuen am Ein-
gang. Jeder hielt einen riesigen Schild mit
einem Stern darauf in der Hand.

„Bitte wartet kurz", sagte Aristoteles.
„Ich muss dem König mitteilen, dass ich

zwei Gäste zu seiner Versammlung mitbringen möchte – und dass einer von ihnen ein Mädchen ist."

„Warum?", fragte Anne. „Sind Mädchen nicht erlaubt?"

„Ich fürchte, die Anwesenheit von Mädchen und Frauen ist bei solchen Veranstaltungen nie gestattet", sagte Aristoteles. „Aber ich denke, dass der König noch nie ein Mädchen wie dich getroffen hat."

„Danke", sagte Anne. Nachdem Aristoteles gegangen war, drehte sie sich zu Philipp um. „Was stimmt nicht mit der

Vergangenheit? Fast überall, wo wir hin-reisen, dürfen Mädchen die spannenden Sachen nicht mitmachen."

„Ich weiß, das ist verrückt", sagte Philipp. „Aber bleib ruhig! Vergiss nicht, dass der König ein grausamer Heerführer ist!"

„Ja, schon …" Anne reckte die Faust hoch. „Aber wir haben Magie, die aus mir auch eine tolle Kämpferin machen könnte", sagte sie.

„Denk erst gar nicht daran", sagte Philipp und sah zu den Wachsoldaten.

Anne senkte die Faust. „Überrascht es dich auch, dass Alexander erst zwölf Jahre alt ist?", fragte sie. „Zu Hause wäre er in der sechsten oder siebten Klasse."

„Ich weiß. Wie großartig kann er da schon sein?", überlegte Philipp laut. Er zog das Buch heraus und schlug im Verzeichnis *Alexanders Kindheit* nach. Er wandte den Wachmännern den Rücken zu und las leise vor:

Alexander wurde wie ein junger Adliger erzogen. Schon früh erhielt er ein strenges Militärtraining und wurde ein sehr guter Schwertkämpfer, Speerwerfer und Streitwagenfahrer. Er war ein gefeierter Athlet und in allen Sportarten ausgezeichnet.

„Oh, Mann", sagte Philipp. „Das klingt wie Superman."

„Aristoteles kommt zurück", flüsterte Anne.

Philipp steckte das Buch in seine Tasche.

„Der König hat seine Erlaubnis erteilt", sagte Aristoteles und sah Anne an. „Ihr dürft beide hereinkommen."

„Hurra!", freute Anne sich. Dann folgten sie und Philipp dem Philosophen in das Königshaus.

Der einäugige König

In der Eingangshalle war es dunkel
und kühl. Flackernde Öllampen warfen
Schatten auf die bemalten Wände. Die
Wandmalereien zeigten Figuren aus der
griechischen Mythologie.

„Zeus", wisperte Anne und deutete
auf den Herrscher der griechischen Götter.

„Zentauren", flüsterte Philipp und zeigte
auf Gestalten, die halb Mensch und halb
Pferd waren.

„Hier entlang", sagte Aristoteles.
Philipp und Anne folgten dem Philo-
sophen durch die Halle zu einem offenen
Hof. Frauen in langen weißen Kleidern

46

grillten Fleisch über einem Feuer und holten Brot aus einem Lehmofen. Sie sahen Anne neugierig an.

Aristoteles führte sie an den Köchinnen vorbei zu einer Tür. Laute Stimmen drangen aus dem Raum dahinter.

„König Philipp hat die besten Männer seiner Reittruppe um sich versammelt", erzählte Aristoteles. „Sie sind seine treuesten Gefährten. Erschreckt euch nicht, wenn ihr den König anseht! Bei einem Kampf vor vielen Jahren hat er ein Auge verloren."

„Oh", machte Anne.

„Trotzdem ist er der größte Heerführer der Welt", sagte Aristoteles.

Philipp nickte. Er holte tief Luft.

„Prinz Alexander wird auch bald da sein", sagte der Philosoph. „Kommt!" Er führte Philipp und Anne in den großen, mit Lampen erhellten Raum.

Die Kameraden des Königs lagen auf ihre Ellbogen gestützt auf Sofas und Kissen. Sie unterhielten sich und aßen. König Philipp saß auf einem roten

Seidensofa. Er trug eine schwarze Klappe über einem Auge. Zwei Leibwächter mit Schwertern am Gürtel standen in seiner Nähe.

Als der König und seine Männer Philipp, Anne und Aristoteles sahen, verstummten sie.

„König Philipp der Zweite von Mazedonien", sagte Aristoteles und verbeugte sich.

Philipp und Anne verbeugten sich ebenfalls.

„Ich habe heute diese beiden jungen, gebildeten Reisenden getroffen", sagte Aristoteles. „Sie heißen Philipp und Anne und kommen aus Pepper Hill, einem Land westlich von Griechenland."

„Hallo", sagte Anne lächelnd.

Philipp lächelte auch in die Runde.

Niemand lächelte zurück, auch König Philipp nicht. „Setzt euch!", befahl er.

Philipp und Anne setzten sich auf ein freies Sofa. Aristoteles ließ sich in ihrer Nähe nieder. Drei Dienerinnen erschienen. Die Gefährten des Königs aßen und unter-

hielten sich weiter, während eine Dienerin
Philipp die Sandalen auszog. Sie wusch
ihm die staubigen Füße in einer Schüssel
mit warmem Wasser. Philipp hielt den Blick
gesenkt, weil er nicht wusste, was er tun
oder sagen sollte.

Dann brachten Diener Teller mit Essen.
Philipp erkannte Oliven, Käse, Weintrauben, Nüsse, Feigen … und dann war
da noch etwas, das wie tote Käfer aus-
sah.

Anne schaute Philipp an. „Grashüpfer?",
fragte sie wispernd und rümpfte die
Nase.

„Iss die Weintrauben", flüsterte er
zurück.

Philipp und Anne aßen Weintrauben, während die Männer es sich schmecken ließen und sich mit Aristoteles und König Philipp unterhielten. Der König erzählte von einem Pferd, das kürzlich bei einer Schlacht erbeutet worden war.

Erst als die Teller weggeräumt waren, wandte König Philipp sich an die Geschwister. „Ruhe!", befahl der König seinen Männern. „Jetzt wollen wir von unseren werten Besuchern hören. Wen immer Aristoteles bewundert, bewundere auch ich."

Philipp verschluckte sich beinahe an einer Weintraube.

„Aristoteles hat uns erzählt, dass ihr sehr gebildet seid – ihr beide", sagte der König und warf Anne einen Blick zu. „Stimmt das?"

Bevor Anne antworten konnte, stürmte ein Junge in das Zimmer. Er hatte helles Haar und war muskulös. Über seiner Tunika trug er einen roten Umhang. Er ging in die Mitte des Raums, schob seinen Umhang nach hinten und verbeugte sich.

„Ich grüße euch alle", sagte der Junge. „Jetzt bin ich endlich da."

„Sei gegrüßt, Prinz Alexander!", sagten die Männer einstimmig.

„Alexander der Große!", dachte Philipp.

Prinz Alexander wollte etwas sagen, aber zu Philipps Überraschung blaffte der König ihn unfreundlich an. „Sei still, Junge! Setz dich!"

Das Lächeln verschwand aus dem Gesicht des Jungen, aber er gehorchte und setzte sich auf ein Sofa in der Nähe seines Vaters.

Aristoteles lehnte sich vor und sprach freundlich zu Alexander. „Mein Prinz", sagte er. „Als du hereingekommen bist, wollten wir gerade hören, was zwei junge, gebildete Besucher aus Pepper Hill zu erzählen haben. Sie kommen aus einem Land westlich von Griechenland, um dich zu treffen. Das sind Philipp und seine Schwester Anne."

„Ich verstehe", sagte Alexander und streckte die Brust raus. Er warf Philipp und Anne ein überhebliches Lächeln zu. „Nun denn, junge Besucher, teilt euer Wissen mit uns."

„Ist das sein Ernst?", fragte sich Philipp. „Was glaubt er, wer er ist?"

„Ich teile gern", sagte Anne. „Vor Kurzem haben wir etwas über einen seltenen Bären gelernt, den man Panda nennt."

„Panda?", wiederholte der Prinz verächtlich.

„Ja, aber Pandas sind anders als die übrigen Bären, anders als zum Beispiel Eisbären oder Grizzlybären", erklärte Anne. „Pandas leben in China. Eisbären leben am Nordpol."

„Das stimmt", sagte Philipp und

räusperte sich. „Eisbären sind sehr schwer, aber sie können trotzdem über dünnes Eis laufen. Sie verteilen ihr Gewicht und rutschen auf den Tatzen."

„So", sagte Anne. Sie streckte die flachen Hände aus und machte mit ihnen gleitende Bewegungen, als ob sie übers Eis rutschen würde. Sie lachte und der König und seine Kameraden lachten mit ihr.

„Wie erstaunlich", sagte der König zu Aristoteles.

„Ja, allerdings", erwiderte der Philosoph.

Der Prinz machte ein gelangweiltes Gesicht.

„Und dann gibt es noch Koalabären", sagte Philipp.

„Genug von Bären", unterbrach Alexander unhöflich. „Lasst uns über die Löwenjagd sprechen, bei der ich dabei war!"

„Nicht jetzt", sagte der König scharf. Er sah Philipp an. „Ich möchte noch mehr über die Bären hören."

Philipp räusperte sich. „Eigentlich sind

Koalabären keine richtigen Bären",
sagte er. Es gefiel ihm, vor dem Prinzen
ein bisschen mit seinem Wissen anzu-
geben. „Sie gehören zu den Beuteltieren.
Kängurus sind auch Beuteltiere."

„Kän-gu-ru?", wiederholte Alexander
spöttisch.

„Kängurus sind so groß wie Menschen",
erzählte Anne. „Aber sie hüpfen wie
Frösche. Sie können auch boxen. So …"
Sie wandte sich zu Alexander um und
boxte mit den Fäusten in die Luft.

Der Prinz duckte sich und die Gefährten
des Königs mussten lachen. Der König
lachte am lautesten.

„Wie töricht sie ist!", grollte der Prinz.

„Still, Alexander, ärger dich nicht",
sagte sein Vater. „Weiter, erzählt uns
mehr!", bat er Philipp und Anne. „Verehrt
ihr die griechischen Götter so wie wir?"

„Ich weiß nicht genau, wie Ihr das
meint", sagte Anne. „Aber wir haben
Herkules in Pompeji getroffen und Pegasus hat uns bei den Olympischen Spielen
geholfen. Sie sind Freunde von uns."

Die Männer machten verwirrte Gesichter.
„Was?", fragte der König.

„Ich wollte sagen", warf Anne schnell ein, „dass wir an die Kraft der Vorstellung und die Macht alter Legenden glauben. Wir haben von Herkules und Pegasus gelesen und haben dadurch das Gefühl, als wären sie unsere Freunde."

„Genau. Und sie sind Sternbilder", sagte Philipp. „Wenn man den Nachthimmel betrachtet, sieht man sie. Die alten Geschichten begleiten uns ständig. Wir sind nie allein."

Philipp sah sich um. Der König und seine Kameraden lächelten und nickten. Nur der Prinz sah unglücklich aus.

„Danke, Philipp. Das sind weise Worte", sagte Aristoteles.

„Ja, das stimmt", meinte der König. „Aristoteles, deine Freunde sind erstaunlich. Alexander, dir würde es guttun, von ihnen zu lernen."

„Was denn lernen?", fragte Alexander angriffslustig. „Kann Philipp auf einen fahrenden Streitwagen aufspringen? Kann er einen Speer weiter werfen als ein erwachsener Mann? Kann er einen Löwen stundenlang jagen?"

„Nein und das wird er auch nie", erwiderte Anne. Sie lächelte den Prinzen an. „Aber Philipp schreibt gut. Er macht sich ständig Notizen und verfasst eigene Geschichten."

„Ah … ah!", stieß Alexander hervor. Er sprang auf die Füße. „Entschuldigt meine Unhöflichkeit!", sagte er zu Philipp. „Ich würde gern allein mit dir sprechen. Vielleicht kannst du mir helfen."

„Oh, oh", dachte Philipp.

Der Prinz sah zu seinem Vater. „Dürfen wir gehen?"

„Bitte sag nein", dachte Philipp.
Alexander machte ihn nervös.

Aber König Philipp nickte. „Wir be-
dauern, auf eure Gesellschaft verzichten
zu müssen", sagte er zu Philipp. „Aber es
wäre gut, wenn du meinen Sohn beraten
würdest."

„Ja, genau. Kommt mit, Besucher aus
Pepper Hill", sagte Alexander und winkte
Philipp und Anne zu.

Philipp sah zu Aristoteles.

Der Philosoph machte ein besorgtes
Gesicht, aber dann lächelte er auf-
munternd und nickte, als ob er sagen
wollte: „Sei tapfer! Es ist nicht schlimm,
wenn du einen Narren aus dir machst."

Das Wettrennen

Sie folgten Alexander, und Philipp
wünschte, er hätte nicht so angegeben.
Was, wenn der Prinz ihn dazu heraus-
fordern würde, auf einen fahrenden Wagen
zu springen? Oder einen Löwen zu jagen?

Prinz Alexander lief über den Hof. Er
führte die Geschwister zu einer über-
dachten Veranda hinter dem Haus.

„Also, was können wir für dich tun?",
fragte Anne lächelnd.

Alexander sah auf sie herab. „Ein
Mädchen kann gar nichts für mich tun",
sagte er. „Du solltest bei den anderen
Frauen sein und kochen und nähen."

Das Lächeln verschwand aus Annes
Gesicht. „Na, schön", sagte sie. „Dann
gehe ich zurück zu Aristoteles." Sie drehte
sich um.

„Ich komme mit", sagte Philipp. Er wollte
nicht allein bei dem eingebildeten Prinzen
bleiben.

„Stopp!", befahl Alexander. Er betrachtete Anne. „Ich werde deine Anwesenheit

noch ein Weilchen ertragen. Du hast gesagt, dass dein Bruder gerne schreibt. Nun, jetzt kann er über etwas sehr Wichtiges schreiben: über mich! Hast du etwas zum Schreiben da?", fragte er Philipp.

„Klar." Philipp zog seinen Notizblock und seinen Stift aus der Tasche.

„Wenn ihr in eure Heimat zurückkehrt, werdet ihr meine Geschichte überall verbreiten und Ruhm über mich bringen", verlangte Alexander.

„Na klar", entgegnete Philipp. Schreiben fiel ihm leicht, ganz im Gegenteil zum Aufspringen auf einen fahrenden Streitwagen.

„Wir gehen spazieren und reden dabei",
kommandierte der Prinz. „Kommt!"

Philipp und Anne folgten dem Prinzen
die Verandastufen hinunter in das gleißende Sonnenlicht hinaus.

Sie gingen durch einen Garten, von
wo aus man einen Blick über den ganzen
Hügel hatte. Am Fuße des Hügels befanden sich ein lang gezogener Stall und
ein Reitplatz.

„Ihr habt gesagt, dass ihr Herkules gut
findet", sagte der Prinz. „Wusstet ihr, dass
er mein Urururgroßvater ist?"

„Wer? Herkules?", fragte Anne.

„Ja. Und da er ein Sohn von Zeus ist,

bin ich selbst ein lebendiger griechischer Gott", sagte Alexander.

„Puh", dachte Philipp und rollte mit den Augen.

„Machst du dich über mich lustig?", fragte Alexander.

„Nein, ich habe nur Staub ins Auge bekommen", antwortete Philipp. Er rieb sich die Augen.

„Ein lebendiger griechischer Gott", wiederholte Anne. „Schreib das auf, Philipp!"

„Natürlich", sagte Philipp. Aber er schrieb:

Der Prinz hat nicht mehr alle Tassen im Schrank.

Anne las Philipps Notiz und kicherte.

Alexander drehte sich um und sah sie an.

Anne versuchte, aus ihrem Kichern ein Schnaufen zu machen. „Entschuldigung, ich habe Staub in die Nase bekommen", sagte sie und rieb sich die Nase.

Der Prinz lief weiter. „Das bedeutet natürlich, dass ich im Krieg niemals einen Kampf verlieren werde. Bald werde ich der Herrscher des Universums sein."

„Toll", sagte Philipp. Aber er schrieb:

Den Prinzen sollte man echt nicht auf Leute loslassen!

Anne las Philipps Notiz und unterdrückte ein Lachen. Alexander sah sie wieder an.

„Staub im Hals", sagte sie und hustete.

Alexander ging weiter. „Ihr habt erzählt, dass ihr bei den Olympischen Spielen in Griechenland gewesen seid", sagte er. „Das war ich auch."

„Warst du im Wettkampf?", fragte Philipp.

„Natürlich nicht. Ich messe mich nie mit anderen Athleten", antwortete der Prinz. „Ich würde jedes Mal gewinnen. Ich bin der größte Athlet der Welt."

„Erstaunlich", sagte Philipp. Aber er schrieb:

Was für ein Prahlhans!
Er wird nie Freunde haben.

Philipp sah auf. „Noch mehr?", fragte er.

„Erst will ich sehen, was du bisher aufgeschrieben hast", sagte der Prinz.

„Du willst es sehen?", fragte Philipp und schluckte.

„Ja."

„Äh, aber ich bin noch nicht fertig", sagte Philipp. „Ich zeige meine Notizen nicht gern her, bevor ich alles ordentlich aufgeschrieben habe." Er schloss sein Notizbuch und wollte es in die Tasche stecken.

„Ich will es jetzt lesen!", befahl der Prinz und riss ihm das Buch aus der Hand. Er schlug es auf und las Philipps Notizen.

„Nicht mehr alle Tassen im Schrank? Was bedeutet das?"

„Äh … bei uns sagt man das, wenn jemand so vornehm ist, dass er sich um normale Sachen – wie Tassen in den Schrank räumen – nicht mehr kümmern muss", erklärte Philipp hastig.

„Genau, damit will Philipp ausdrücken, dass du etwas ganz Besonderes bist", ergänzte Anne.

Alexander sah Anne misstrauisch an. „Den Prinzen sollte man echt nicht auf Leute loslassen!", las er laut.

„Zum Schutz!", erklärte Anne. „Jemand so Wichtiges wie du sollte nicht mit dem einfachen Volk zusammenkommen. Du bist schließlich ein lebendiger griechischer Gott!"

Alexander las weiter. „Prahlhans?" Er machte ein verdutztes Gesicht. „Was ist das?"

„Das ist jemand, der der Welt ständig zeigt, wie großartig er ist", erklärte Philipp.

„Ah, das passt", sagte Alexander. Dann las der Prinz Philipps letzte Notiz: „Er wird nie Freunde haben." Eine Sekunde sah der Prinz traurig aus.

„Das … äh … ich meine, es muss sehr schwer für dich sein, Leute zu finden, die genauso großartig sind wie du …", sagte Philipp lahm.

„Hm", machte Alexander. Er klappte das Buch zu und reichte es Philipp. „Vielleicht sollten wir jetzt unsere sportlichen Fähigkeiten miteinander vergleichen", schlug er vor.

„Deine Fähigkeiten mit meinen?", fragte Philipp.

„Willst du uns nicht noch mehr von dir erzählen?", wollte Anne wissen.

„Nein, ich möchte lieber etwas über Philipp erfahren", sagte Alexander. „Lass uns ein Wettrennen machen!", forderte er Philipp auf. Er deutete den Hügel hinunter. „Zum Zaun und zurück."

„Ich weiß nicht", sagte Philipp zögerlich.

„Du musst mit mir um die Wette rennen! Jetzt sofort!", befahl der Prinz.

„Okay, okay", erwiderte Philipp. Er war ganz gut im Sprinten. Vielleicht konnte er sogar gewinnen. Er steckte den Notizblock und den Stift weg und reichte Anne die Tasche. Dann kniete er sich in Startposition.

„Los!", rief Alexander.

Der Prinz sprintete den Hügel zum Stall hinunter. Sein roter Umhang wehte hinter ihm her. Philipp rannte so schnell er konnte, aber Prinz Alexander war viel schneller.

Als Philipp den Zaun erreichte, war Alexander bereits auf dem Rückweg den Hügel hoch. Die glühende Hitze des Nachmittags machte Philipp zu schaffen. Auf halber Strecke den Hügel hinauf hatte er das Gefühl, als würde er gleich in Ohnmacht fallen.

„Los, Philipp! Komm schon!", rief Anne.

Alexander stand auf der Spitze des Hügels und grinste zu ihm hinab.

Als Philipp endlich bei Alexander und Anne ankam, taumelte er ein paar Schritte und brach dann zusammen.

„Philipp!", rief Anne. Sie kniete sich neben ihn. „Alles in Ordnung?"

Alexander trat zu ihnen. Statt Philipp zu helfen, starrte er ihn von oben herab an. „Ich denke, es ist viel besser, ein Gewinner

zu sein als ein Freund", sagte der Prinz.
„Du nicht auch?"

„Nein", erwiderte Anne. „Du bist gemein."

„Gut, ich gebe deinem Bruder eine zweite
Chance", sagte Alexander. „Sollen wir noch
ein Rennen machen oder lieber ringen?"

Philipp antwortete nicht. Er war damit
beschäftigt zu atmen.

„Also nicht", sagte Alexander. „Du solltest
in Zukunft lieber mit Mädchen um die
Wette rennen."

„Sehr witzig", sagte Anne. „Warte nur!"

Sie holte die kleine Flasche aus Philipps
Tasche. Dann beugte sie sich zu ihm und
flüsterte ihm ins Ohr. „Hier, atme den

magischen Nebel ein und zeig es ihm. Gewinne das nächste Rennen!" Sie drückte ihm das Fläschchen in die Hand.

Philipp schloss die Finger um die kleine Flasche. Er musste nur den Nebel einatmen und sich wünschen, der beste Athlet der Welt zu sein. Er umfasste die Flasche fester.

Doch plötzlich wurde er ganz ruhig. Natürlich konnte er Merlins Magie benutzen, aber er wollte es nicht. Er brauchte sie auch nicht. Warum sollte er die wertvolle Magie an einen eingebildeten Jungen verschwenden.

„Nein, ich will nicht noch mal mit dir um die Wette rennen", sagte Philipp. Ihm war übel, aber er zwang sich, sich aufzurichten. „Du bist eindeutig ein besserer Sportler als ich."

Das Getrappel von Pferdehufen hallte zu ihnen hinauf. Männer trieben Pferde auf den umzäunten Reitplatz. Alexander stieß einen Jubelschrei aus. Ohne sich umzuschauen, rannte er den Hügel hinunter.

Philipp und Anne sahen zu, wie der
Prinz über den Zaun kletterte und zu den
Männern und Pferden lief. König Philipp
kam in Begleitung seiner Leibwächter
ebenfalls zum Reitplatz.

„Geht es dir wirklich gut?", fragte Anne
ihren Bruder.

„Ja, alles okay", erwiderte er, obwohl ihm
von der Hitze immer noch schwindelig war.
„Hier, steck das wieder ein!" Er gab Anne
das Fläschchen. „Er ist es nicht wert."

„Du hast recht", sagte Anne.

„Mit dem bin ich fertig", meinte Philipp.

„Aber was ist mit unserer Mission?",
fragte Anne. „Wir sollen doch von ihm

ein Geheimnis wahrer Größe erfahren. Und bisher wissen wir noch gar nichts."

„Doch", meinte Philipp, „wir wissen, dass er ganz und gar nicht großartig ist."

Anne hielt die Hand hoch, damit Philipp den Ring sehen konnte. „Aber der Ring der Wahrheit hat noch nicht geleuchtet."

„Ist mir egal", sagte Philipp. „Ich will ihn nie wieder sehen. Ich traue ihm nicht. Ich mag ihn nicht. Und ich will auch nichts von ihm lernen."

Ein prächtiges Streitross

Anne seufzte. „Ich verstehe dich ja, aber was sollen wir jetzt machen?"

„Ich weiß es nicht." Philipp vergrub das Gesicht in den Händen. In seinem Kopf pochte es. Er hatte das Gefühl, als ob er sich gleich übergeben müsste.

„Willst du weg aus Mazedonien?", fragte Anne.

„Nein", antwortete Philipp und schüttelte den Kopf.

„Willst du bleiben?", fragte Anne.

„Nein", antwortete Philipp.

„Philipp! Anne!", rief jemand.

Philipp hob den Kopf. Aristoteles kam auf sie zu. Als er bei ihnen war, sah er Philipp an und sagte: „Du brauchst Wasser. Kommt mit!"

Anne half Philipp auf die Beine. Er fühlte sich immer noch schwach. Aristoteles führte sie zu einem Brunnen in der Nähe des Königshauses. Die Geschwister spritzten sich Wasser aus einem Eimer ins Gesicht und tranken aus ihren zu Schalen gewölbten Händen. Das kühle, klare Wasser tat Philipp gut. „Vielen Dank", sagte er.

„Hat der Prinz einen ordentlichen Narren aus dir gemacht?", fragte Aristoteles.

„Mehr oder weniger", antwortete Philipp.

„Du bist nicht der Einzige", sagte Aristoteles. „Das liegt daran, dass er selbst so große Angst hat, als Dummkopf dazu- stehen. Er möchte unbedingt so stark und mächtig sein wie sein Vater."

„Jemand sollte ihn daran erinnern, dass er erst zwölf ist", meinte Anne.

Aristoteles lächelte. „Ich stimme dir zu. Wo ist er jetzt?"

„Er ist zu den Pferden gerannt",
entgegnete Anne.

„Ah, ja", sagte Aristoteles. „Die
Gefährten des Königs sind auch schon
ganz neugierig auf die neuen Streitrösser,
die ein Händler aus Thessaloniki mitgebracht hat. Wollt ihr sie sehen?"

„Ich liebe Pferde", sagte Anne. „Aber …"
Sie sah zu Philipp.

„Ihr könnt ja gehen. Ich bleibe hier",
meinte ihr Bruder. Er wollte nicht in der
Nähe von Prinz Alexander sein.

„Ich will dich nicht hier allein lassen",
sagte Anne. „Bitte, komm mit!"

Philipp starrte sie an und seufzte dann.
„Okay", sagte er.

Als Aristoteles, Philipp und Anne den
Hügel hinuntergingen, stand die Sonne
schon nicht mehr so hoch am Himmel.
„Ziehen Streitrösser in den Krieg?", fragte
Anne Aristoteles.

Aristoteles nickte. „Sie bringen Soldaten
zu Kriegen in allen nahen und fernen
Ländern", sagte er. „Durch ihre Schnellig-
keit und Kraft können sie einem Mann

das Leben retten und über einen Sieg entscheiden."

„Eine schwere Aufgabe", meinte Anne.

„Ja, aber sie werden im ganzen Königreich verehrt", erklärte Aristoteles.

Als die drei zum Reitplatz kamen, standen die Pferde in einer Reihe. Stallknechte waren neben ihnen. Die Kameraden des Königs sahen vom Zaun aus zu, wie König Philipp mit dem Händler die Reihe abschritt und kurz über jedes Pferd sprach. Alexander ging hinter ihnen, sah in die Pferdemäuler und betastete ihre Beine.

„Der Prinz liebt Pferde auch", sagte Aristoteles.

„Schlecht für die Pferde", dachte Philipp.

„Nach was gucken sie?", fragte Anne.

„Nach starken Knochen, kräftigen Zähnen und biegsamen Knien", zählte Aristoteles auf. „Außerdem nach breiter Brust und hohem Rist, knochigem Kopf, großen Nüstern, dicker Mähne, kleinen Ohren."

„Das ist eine Menge", meinte Anne.

Der König erreichte das Ende der Reihe und begann, mit dem Händler zu feilschen. Alexander wollte mitreden, aber sein Vater brachte ihn zum Schweigen. Beinahe tat Philipp der Prinz leid. König Philipp deutete auf einige Pferde. Der Händler nickte, dann führten die Stallknechte die Pferde zurück in den Stall.

Die untergehende Sonne warf ihr Licht über den Hügel. „Für heute ist der Pferdehandel beendet", sagte Aristoteles. „Er wird morgen bei Tageslicht fortgeführt."

Plötzlich preschte ein schwarzer Hengst aus dem Stall. Mehrere Stallknechte rannten ihm hinterher. Der Hengst war wunderschön. Er galoppierte über den Platz und das Sonnenlicht schien sein Fell und seine Mähne in Flammen zu setzen. Er hielt den Kopf hoch und den Hals elegant gestreckt. Er hatte kleine Ohren und große Augen.

„Das muss der prächtige Hengst sein, von dem ich schon so viel gehört habe", sagte Aristoteles.

„Wie heißt er?", fragte Anne.

„Sein Name ist Bukephalos", antwortete Aristoteles. „Er hat dem königlichen Stallmeister von Thessaloniki gehört."

Der Hengst wurde langsamer und ging schließlich im Schritt. Ein Knecht näherte sich ihm und versuchte, nach seinem Halfter zu greifen. Aber Bukephalos wieherte erschrocken und buckelte. Er brach zur Seite aus und drehte sich zum Zaun. Seine Ohren waren flach an den Kopf gepresst und seine Augen rollten.

„Was ist mit ihm?", fragte Anne.

„Er war ein prächtiges Streitross", erzählte Aristoteles. „Aber er hat keinen

Reiter mehr auf seinen Rücken gelassen,
seit er nach einem Kampf gefangen
wurde."

„Warum?", fragte Anne.

„Niemand weiß es", erwiderte
Aristoteles. „Aber der Händler meint, dass
er wieder gezähmt werden kann, und ver-
langt einen Sack voll Gold für ihn."

Ein Stallknecht warf ein Seil über den
Hals des Hengstes und ein anderer zückte
eine Peitsche.

„Für was ist denn die?", fragte Anne.

Der Knecht ließ die Peitsche auf den
Boden knallen.

„Nein!", schrie Prinz Alexander. „Nimm die Peitsche weg!"

Der Knecht knallte wieder mit der Peitsche. Der Hengst bäumte sich auf. Er trat mit den Hufen aus und trampelte den Mann mit der Peitsche beinahe zu Boden. Die Stallknechte sprangen zur Seite, um nicht umgeworfen zu werden.

„Nein!", schrie Alexander wieder. „Tut ihm nicht weh!" Er rannte zu dem Knecht, nahm ihm die Peitsche ab und warf sie weg.

„Sei kein Dummkopf!", schimpfte der König mit dem Prinzen. „Lass sie ihre Arbeit machen!"

Alexander beachtete seinen Vater nicht. Er ging ruhig auf den Hengst zu. Das Pferd starrte ihn an, dann lief es über den Platz davon. Alexander rannte hinter ihm her.

„Haltet ihn auf!", befahl der König seinen Leibwächtern.

Zwei Wächter rannten los und packten Alexander, bevor er den Hengst erreichte. Sie hielten den Prinzen fest, während noch mehr Knechte erschienen. Der Hengst bäumte sich wieder auf.

„Dieses Pferd kann nicht gezähmt werden!", rief der König dem Händler zu.

„Doch, kann es!", rief Alexander. Er versuchte, sich aus dem Griff der Leibwächter zu befreien, aber sie hielten ihn eisern fest. „Ich werde ihn zähmen!"

„Schafft ihn mir aus den Augen! Er ist nichts wert", sagte der König. Philipp wusste nicht, ob der König den Hengst oder seinen Sohn meinte.

Die Knechte brachten den Hengst zurück in den Stall. Und die Wächter hielten Alexander weiter fest, auch als sie dem König und seinen Gefährten den Hügel hinauffolgten. Mehrmals drehte sich der König zu seinem Sohn um. „Du Narr!", rief er. „So unbesonnen! So überheblich!"

„Entschuldigt mich", sagte Aristoteles. „Ich muss den König besänftigen." Er lief los und ließ Philipp und Anne zurück.

„Alexanders Vater ist wirklich gemein zu ihm", meinte Anne.

„Ich habe das schon im Haus bemerkt",

sagte Philipp. „Er hat dauernd gesagt, dass Alexander still sein soll."

Schweigend sahen die Geschwister zu, wie der König den ganzen Weg zurück zum Haus mit dem Prinzen schimpfte. Als die Gruppe das Haus betrat, ging die Sonne hinter dem Hügel unter. Es wurde schnell dunkler und die Luft kühler.

„Ich weiß, dass Alexander ein Angeber ist und oft gemein", sagte Anne. „Aber eben wollte er den Hengst beschützen."

Philipp erwiderte nichts.

„Wir waren auch etwas gemein zu ihm", meinte Anne. „Wir haben uns über ihn lustig gemacht."

„Er hat es verdient", murmelte Philipp.

„Aber vor dem König und seinen Männern haben wir auch angegeben", sagte Anne.

„Ja, und? Was willst du damit sagen?", fragte Philipp.

„Vielleicht sind wir uns gar nicht so unähnlich", meinte Anne. „Vielleicht sollten wir es noch mal mit Alexander versuchen."

„Oh, Mann", sagte Philipp, aber insgeheim stimmte er ihr zu. Komischerweise war seine Wut auf den Prinzen verraucht. Er tat ihm sogar ein bisschen leid.

„Ich glaube, sein Leben ist sehr traurig", sagte Anne. „Vielleicht können wir ihm irgendwie helfen?"

„Wie willst du einem wie dem helfen?", fragte Philipp.

„Ich weiß es nicht", antwortete Anne.

„Versuchen wir es mit einer Frage", schlug Philipp vor. „Was wissen wir über ihn?"

„Er sehnt sich nach Ruhm und Macht", sagte Anne. „Das hat Aristoteles erzählt.

Er möchte so stark und mächtig sein
wie sein Vater."

„Und er denkt, dass er der Urururenkel
von Herkules ist", sagte Philipp.

„Stimmt. Er ist ein lebendiger
griechischer Gott", sagte Anne.

„Und der größte Athlet der Welt", fügte
Philipp hinzu.

„Und bald wird er der Herrscher des
Universums sein", sagte Anne und lachte.

Philipp fiel in ihr Lachen ein. „Er ist un-
möglich, oder?", meinte er und schüttelte
den Kopf.

„Ich habe noch nie einen Jungen wie
ihn getroffen", sagte Anne.

„Zum Glück!", meinte Philipp.

„Aber wir wissen noch etwas über ihn",
sagte Anne.

„Und was?", fragte Philipp.

„Wir wissen, dass er Bukephalos liebt",
sagte Anne.

„Ja … und?", wollte Philipp wissen.

„Damit könnten wir anfangen", sagte
Anne. „Liebe ist immer ein guter Grund
für einen Neustart, oder nicht?"

Streitross
im Sternenlicht

Philipp starrte Anne an. „Also … was schwebt dir vor?", fragte er.

„Wir könnten versuchen, Bukephalos für Alexander zu zähmen", sagte Anne. „Dann erlaubt ihm vielleicht sein Vater, den Hengst zu behalten."

„Ist das dein Ernst?", fragte Philipp. „Du und ich sollen ihn zähmen?"

„Das haben wir schon mal gemacht", sagte Anne. „Erinnerst du dich? Als wir im Wilden Westen waren und geholfen haben, die Mustangs zu retten. Wir haben gelernt, wie man mit Pferden umgehen muss."

„Das ist schon sehr lange her", meinte Philipp.

„Aber du hast dir Notizen gemacht", sagte Anne. „Ich habe sie heute in deinem Buch gesehen."

„Ja, gut, wir haben Notizen, aber wir haben kaum Erfahrung", warf Philipp ein. „Wir waren nicht lange genug im Wilden Westen."

„Lass uns erst mal deine Notizen lesen!", meinte Anne.

Philipp zog seinen Block hervor und schlug die Seite mit den Notizen über ihr Abenteuer im Wilden Westen auf.

„Regeln im Umgang mit Pferden", las er vor. „Sanfte Hand, feste Stimme, heiteres Gemüt, Lob, Belohnung."

„Einfach. Wir müssen nur freundlich, sanft und gut gelaunt sein", sagte Anne. „Versuchen wir es!" Sie ging zum Tor des Reitplatzes.

„Bist du verrückt? Dazu gehört noch viel mehr als nur das", sagte Philipp und folgte ihr. „Die Männer vorhin haben haufenweise Erfahrung und selbst sie konnten ihn kaum bändigen!"

„Vergiss die Männer!", sagte Anne. „Wir sind tausendmal netter zu Tieren als sie. Und ich habe ein besonders sonniges Gemüt." Sie öffnete das Tor und lief über die Wiese zum Stall.

„Aber der Hengst ist gefährlich, Anne", sagte Philipp, als er ihr zum Stall folgte. „Du kannst ihn nicht einfach so zähmen!"

„Du klingst wie König Philipp", erwiderte Anne. „Lass uns den Hengst erst mal finden, dann sehen wir weiter!"

Philipp und Anne linsten in den schattigen Stall. Es roch nach Holz, Gerste und Heu. Schnuppern, Schnauben und Kauen kam aus den Boxen. Doch von ganz hinten drang Wiehern und Hufestampfen zu ihnen.

„Ich denke, er ist dahinten", sagte Anne. Sie sah sich um. „Ich glaube, niemand ist hier. Los, komm!"

„Mach schnell!", sagte Philipp.

Sie betraten den dunklen Stall. Philipp nahm sich eine Lampe von einem Holztisch. Das Licht warf seltsame Schatten an die Wand. Anne und er liefen an den Boxen vorbei zum hinteren Teil des Stalls.

Sie kamen an einem Schimmel, mehreren braunen Pferden und einem weißbraun gescheckten Pferd vorbei. Bukephalos stand in der letzten Box.

Sein Fell schimmerte im Lampenschein. Es war bis auf einen weißen Stern auf seiner Stirn vollkommen schwarz.

Seine Ohren lagen immer noch flach am Kopf an und seine Augen blickten wild. Für Philipp sah er wütend aus.

„Hallo, Bukephalos", sagte Anne sanft. „Wir freuen uns sehr, dich zu sehen. Und du freust dich bestimmt auch."

„Nein, tut er nicht", sagte Philipp. „So funktioniert das nicht."

Aber Anne schob den Türriegel hoch und betrat langsam die Box. Sie schloss die Tür hinter sich.

„Keine Angst, Philipp! Ich kann gut mit Tieren umgehen", sagte Anne. Sie stieg auf einen Strohballen und schwang ein Bein über den Rücken des Hengstes.

„Nein! Nein! Du kannst doch nicht einfach …", rief Philipp entsetzt.

Der Hengst schnaubte laut, dann trat er mit den Hinterbeinen aus und schüttelte den Kopf. Er versuchte, Anne abzuwerfen.

„Ah!", schrie Anne und klammerte sich an der Mähne fest.

Der Hengst warf sich gegen die Tür. Philipp konnte gerade noch rechtzeitig zur Seite springen, bevor der Hengst aus der

Box preschte. Mit Anne auf dem Rücken
galoppierte er durch den Stall und zum
Tor hinaus.

„Halt!", rief Philipp. Er löschte die Lampe
und rannte Anne und dem Hengst hinterher.

Auf dem Reitplatz bäumte sich der
Hengst auf. Anne hielt sich mit aller Kraft
fest. Der Hengst trat mit den Vorderhufen
in die Luft und Philipp konnte das Weiße
in seinen Augen sehen.

Philipp stolperte rückwärts und fiel
hin. Im gleichen Augenblick stürzte Anne
vom Pferderücken. Der Hengst galoppierte
über den Platz davon. Philipp kroch zu
Anne. „Alles in Ordnung?", fragte er.

„Ja!" Sie setzte sich auf. „Du hattest
recht … einfach nur nett sein reicht
nicht …", sagte sie schwer atmend.
„Das war dumm von mir … ich habe wohl
doch nicht genug Erfahrung."

Der Hengst blieb am Zaun stehen. Sein
Umriss zeichnete sich gegen den samtigen
Abendhimmel ab und er schnaubte laut.

„Mach dir nichts draus!", meinte Philipp.
„Man braucht tonnenweise Erfahrung,
um ein Pferd wie dieses zu dressieren."

„Hm …" Anne hatte immer noch Mühe
beim Atmen. „Wir könnten großartige
Pferdetrainer sein, wenn wir wollten."

„Wie meinst du das?", fragte Philipp.

„Die … die Magie", sagte Anne.
„Wir atmen den magischen Nebel ein
und dann … dann wünschen wir uns,
großartige Pferdetrainer zu sein."

„Aber hat das irgendwas mit unserer
Mission zu tun?", fragte Philipp. „Wenn
nicht, dann wäre es nicht so klug, die
Magie zu benutzen."

„Es ist vielleicht nicht klug", meinte
Anne. „Aber ich habe das Gefühl, dass
es das Richtige ist."

Philipp betrachtete den Hengst. Er
schnaufte leise und sah Philipp eindring-

lich an, als wollte er ihm etwas mitteilen. „Okay", sagte Philipp und überraschte sich selbst. „Ich denke, wir können es versuchen. Warum nicht?"

„Super!", freute Anne sich. „Das wird ein Riesenspaß!" Sie sprang auf die Füße.

„Immer langsam", meinte Philipp und stand auf. Er zog die kleine Flasche aus seiner Tasche. Der silbrige Nebel von der Insel Avalon schwebte darin herum. „Also, wir wünschen uns, großartige Pferdetrainer zu sein."

„Genau", sagte Anne.

„Gut, ich frage mich nur, wie es wohl ist, ein großartiger Pferdetrainer zu sein", meinte Philipp.

„Wir werden es bald herausfinden", entgegnete Anne.

Philipp hob das Fläschchen in die Luft. „Wir wünschen uns, großartige Pferde-trainer zu sein!" Dann entkorkte er das Fläschchen, schloss die Augen und atmete den magischen Nebel tief ein.

Eine Mischung wunderbarer Gerüche strömte in seine Nase: süßer Klee, feuchtes Sommergras und Blätterduft im Sonnenlicht.

Als Philipp die Augen wieder öffnete, fühlte er sich ganz leicht im Kopf. Er hielt Anne die Flasche hin und sie atmete ebenfalls tief ein. „Ahhh!", machte sie.

Philipp verschloss die kleine Flasche wieder und steckte sie zurück in seine Tasche. Er und Anne grinsten sich an. „Bereit?", fragte Anne.

„Und wie", antwortete Philipp. Er machte sich keine Sorgen mehr. Er war ganz entspannt und ruhig, als hätte er schon Tausende wilde Hengste gezähmt.

„Hallo, Buki", sagte Anne zu dem Hengst. „Dürfen wir dich Buki nennen? Das ist viel einfacher auszusprechen als Bukephalos."

Philipp lachte in sich hinein. Buki war wirklich ein besserer Name.

Buki spitzte die Ohren, als ob er Anne zuhören würde. „Dürfen wir ein bisschen näher kommen?"

Der Hengst bewegte sich nicht.

Anne ging ganz langsam auf ihn zu und

Philipp folgte ihr. Als sie so dicht vor ihm standen, dass sie ihn berühren konnten, zuckte Buki nervös zurück. Sein Schweif peitschte durch die Luft und er machte den Hals lang.

„Alles ist gut, Buki", sagte Philipp sanft. „Alles ist gut." Philipp konzentrierte sich

auf den Hengst. Er versuchte, all sein Mitgefühl und seine Kraft auf den Hengst zu übertragen, bis er das Gefühl hatte, dass er und Bukephalos eins waren.

„Kommt nicht näher."

„Was?", fragte Philipp und sah sich um. Hörte er etwa die Gedanken des Hengstes?

„Du willst nicht, dass wir näher kommen?", fragte Anne.

„Oh, Mann", dachte Philipp. „Anne hat ihn auch gehört. Das passiert also, wenn man ein großartiger Pferdetrainer ist. Man versteht, was Pferde denken!"

Philipp sah dem Hengst tief in die Augen. Er versuchte, seine Gedanken zu hören.

„Kommt nicht näher!"

„In Ordnung, das werden wir nicht", sagte Philipp sanft und beruhigend. „Wir kommen nicht näher, solange du das nicht willst."

„Genau", stimmte Anne zu. „Aber kannst du uns verraten, warum wir nicht näher kommen sollen?"

„Keine Reiter."

„Warum nicht?", fragte Philipp. „Auf dir sind doch schon viele Männer geritten?"

„Wir tun dir nicht weh", sagte Anne. „Das versprechen wir."

Bukephalos senkte den Kopf.

„Verloren."

„Du bist verloren?", fragte Anne.

„Verloren."

Philipp erinnerte sich an das, was Aristoteles erzählt hatte. „Buki hat dem königlichen Stallmeister von Thessaloniki gehört", sagte er zu Anne und blickte dem Hengst wieder in die Augen. „Meinst du deinen Herrn?", fragte er. „Hast du ihn verloren?"

Der Hengst warf den Kopf zurück und schnupperte in die Luft.

Philipp und Anne schwiegen einen Moment lang. „Es tut mir leid", sagte Anne dann leise. „Aber dein Herr kommt nicht mehr zurück. Nie mehr."

Der Hengst war still.

„Vermisst du ihn?", fragte Anne.

Der Hengst warf den Kopf hin und her. Philipp glaubte, ein Wort gehört zu haben.

„Traurig."

Die Traurigkeit des Hengstes erfasste auch Philipp. Wie eine Welle schwappte Trauer über ihn. „Es tut mir leid", sagte er.

„Es tut uns beiden sehr leid", meinte Anne. Sie klang, als würde sie gleich anfangen zu weinen.

Philipp machte einen Schritt auf den Hengst zu und Anne folgte ihm. Diesmal zuckte der Hengst nicht zurück.

Anne pustete sanft auf die Nüstern des Hengstes, damit er ihren Atem riechen konnte, und Philipp tat es ihr nach. Dann berührte Anne den Hengst an der Stirn und Philipp ebenfalls. Anne strich ihm mit der Hand über die Nase und Philipp streichelte über seinen Hals. Das samtige Fell des Hengstes roch nach Gras und Wind.

„Egal, was mit deinem Herrn passiert ist, es ist nicht deine Schuld. Ganz und gar nicht", sagte Philipp zu dem Hengst. Er sprach aus tiefstem Herzen.

Der Hengst senkte den Kopf und rieb seine Nase an Philipp und Anne. Sein Körper erschauderte, als würde er vor Erleichterung seufzen.

Nächtlicher Ausritt

Sterne blinkten am Nachthimmel. Philipp und Anne sagten lange kein Wort. Dann rieb Anne dem Hengst liebevoll über den Nacken. „He, Buki, lass uns ausreiten! Hast du Lust?", fragte sie.

Der Hengst stand kurz wie erstarrt da. Philipp überlegte, ob er Anne verstanden hatte. Aber dann hob der Hengst den Kopf.

„Ja."

„Wunderbar. Du steigst zuerst auf", sagte Anne zu Philipp.

Philipp packte ein Büschel Mähnenhaare. Buki bewegte sich nicht. Er schnaubte und scheute nicht. Philipp nahm einen kleinen Anlauf und stieß sich vom Boden ab. Er sprang in die Luft, als hätte er Federn unter den Füßen, und schwang sich geschickt auf den Pferderücken.

Philipp streckte Anne die Hand hin. Sie griff zu und zog sich geschmeidig hinter ihrem Bruder auf den Pferderücken.

Die Geschwister setzten sich gemütlich zurecht. Philipp hatte das Gefühl, als hätte er schon sein ganzes Leben auf Pferderücken verbracht. Er griff nach Bukis Mähne und hielt sich fest. Dann drückte er seine Beine gegen den Pferdekörper und lehnte sich vor. „Los", flüsterte er.

Der Hengst stampfte einmal mit dem Huf auf, dann ging er langsam los. Philipp und Anne bewegten sich im Rhythmus zu seinen Schritten. Als sie zum Tor des Reitplatzes kamen, öffnete Philipp es mit dem Fuß.

Der Hengst stolzierte hinaus. Seine Hufe knirschten auf dem steinigen Weg hinunter zum Marktplatz. Die Stadt lag schweigend unter einer Decke aus Sternen.

Die Marktstände waren geschlossen.
Händler, Handwerker und Einkäufer waren
zu Hause.

Eine warme Brise wehte über den
Platz und der Hengst beschleunigte seine
Schritte. Philipp und Anne bewegten sich
im Takt des Trabs: eins-zwei, eins-zwei,
eins-zwei.

Der Hengst wurde schneller. Philipp
und Anne bewegten sich nun zu einem
weicheren Rhythmus: eins-zwei-drei,
eins-zwei-drei. Für Philipp fühlte es sich
an, als würden sie tanzen.

Als sie die breite Straße erreichten,
die vom Marktplatz wegführte, begann
Bukephalos zu galoppieren. Er holte

mit den Beinen weit aus und seine Hufe berührten kaum noch den Boden.

Philipp hatte das Gefühl, als wären seine Beine mit den Beinen des Hengstes verschmolzen, als wäre sein Atem der Atem des Pferdes, als wäre seine Haut eins mit der des Hengstes.

Buki rannte ohne Angst durch die Dunkelheit. Er galoppierte über die Straße und an dem großen Feld vorbei, wo das Heer des Königs trainierte.

Der Hengst galoppierte immer weiter. Sie kamen an Wiesen vorbei, wo Schafe und Kühe schliefen. Sie stürmten an Bauernhöfen und bellenden Hunden vorbei.

Philipp und Anne wussten, wie sie im Einklang mit dem Galopp des Hengstes sitzen und atmen mussten. Sie wussten, wann sie sich vorlehnen und wann sie sich zurücklehnen mussten. Wenn sie wollten, dass Buki langsamer oder schneller wurde oder wendete, mussten sie ihre Körper nur sacht bewegen und der Hengst verstand sie.

Buki verließ die Straße und galoppierte über eine Wiese. Philipp konnte nicht sehen, was vor ihnen lag, aber er vertraute dem Hengst. Auch in sich selbst hatte er Vertrauen. Er fühlte sich vollkommen sicher.

Als Buki über schmale Gräben sprang, wusste Philipp, wie er seinen Körper locker machen musste. Als Buki über ein sumpfiges Feld rannte, wusste Philipp, wie er sich auf dem Pferderücken halten konnte.

Die ganze Nacht ritten Philipp und Anne mit Buki durch die Landschaft. Als der Hengst schließlich langsamer wurde und im Schritt ging, wurde Philipp müde.
Er legte den Kopf auf Bukis Nacken.

Philipp hörte Frösche im Schilf quaken und Grillen im trockenen Gras zirpen. Sein Körper schaukelte sanft, während Bukis Hufe über harte Erde, durch Olivenwälder und felsige Felder stampften. Er schloss die Augen …

„Philipp." Anne stupste ihn von hinten an.

„Was?", fragte Philipp schläfrig.

„Wach auf!"

„Was?" Philipp öffnete die Augen.

Die Sonne war aufgegangen und es dämmerte. Buki lief die Straße entlang, die zurück zur Stadt führte. Die Schafe waren erwacht und grasten auf den Wiesen. Eine kühle Brise blies Philipp ins Gesicht. Es roch nach Feld und feuchter Wolle.

„Weißt du was?", sagte Anne. „Unsere magische Stunde ist schon lange vorbei."

„Wie meinst du das?", fragte Philipp und setzte sich gerade auf.

„Na, die magische Stunde, in der wir großartige Pferdetrainer waren", erklärte Anne.

„Was ist damit?", fragte Philipp.

„Sie ist vorbei", antwortete Anne. „Schon lange. Wir reiten ganz ohne magische Hilfe."

„Wirklich?", fragte Philipp. „Die Magie ist vorbei?"

„Keine Sorge", sagte Anne. „Buki hat jetzt nichts mehr dagegen, geritten zu werden. Wir haben ihm geholfen zu verstehen, dass wir seine Freunde sind. Und dass es in Ordnung ist, wenn er von anderen geritten wird. Er wartet nicht mehr auf seinen Herrn."

„Oh, Wahnsinn", sagte Philipp leise. Er streichelte Bukis Nacken. „Vielen Dank für den tollen Ausritt."

102

Der Hengst wieherte und trottete weiter. Bald kamen sie an dem Übungs- feld vorbei, auf dem das Heer des Königs unermüdlich trainierte. „Erinnere mich daran, dass ich mich niemals dem mazedonischen Heer anschließe", sagte Philipp.

Anne lachte. „Wir bringen Buki lieber zurück in den Stall, bevor alle wach werden", sagte sie.

„Gut. Und dann überlegen wir, was wir als Nächstes machen", sagte Philipp. „Also, wie wir Alexander helfen können, meine ich."

„Wir müssen von ihm noch ein Geheimnis wahrer Größe erfahren", sagte Anne. „Denk an unsere Mission!" Sie hielt die Hand hoch, damit Philipp den Ring der Wahrheit sehen konnte.

„Stimmt", sagte Philipp. Er hätte es beinahe vergessen. „Guck immer mal nach, ob der Ring anfängt zu leuchten."

„Das mache ich", erwiderte Anne. „Keine Sorge."

Der Hengst wurde schneller und trabte

zum Marktplatz. Die Händler breiteten bereits Obst, Gemüse und Fisch aus.

Philipp sah zum Hügel hoch. König Philipps Haus lag im strahlenden Morgensonnenschein da. „Wir müssen dich jetzt in den Stall zurückbringen", sagte er zu Bukephalos.

Der Hengst schritt vorsichtig den steinigen Pfad hoch. Als sie sich dem Stall näherten, entdeckte Philipp den König und seine Kameraden, die auf dem Weg zum Reitplatz waren. „Oh, nein! Sie kommen schon", sagte er.

„Dann bringen wir Buki durch den Hintereingang in den Stall", sagte Anne. „Beeilung!"

„Gute Idee", erwiderte Philipp. Er verlagerte sein Gewicht. „Nach rechts, Buki!"

Der Hengst änderte die Laufrichtung und schritt zum hinteren Stalleingang. Doch als sie sich dem Tor näherten, sah Philipp jemanden in der Türöffnung stehen.

Es war Prinz Alexander.

Die Wahrheit

Der Hengst blieb stehen und schnaubte. Alexander stand breitbeinig mit verschränkten Armen da. Er lächelte nicht.

„Hallo", sagte Anne.

Alexander antwortete nicht. Er starrte Philipp und Anne an. „Ich sollte euch bestrafen lassen, weil ihr ihn gestohlen habt", sagte er. „Ich habe überall nach ihm gesucht."

„Wir haben ihn nicht gestohlen. Wir haben nur einen Ausritt mit ihm gemacht", erklärte Philipp.

„Warum lässt er euch auf sich reiten?", fragte Alexander. „Ausgerechnet euch?"

Philipp wollte empört etwas erwidern, aber dann entschied er sich um – er würde nett zu ihm sein. „Vielleicht hat er uns auf sich reiten lassen, weil er weiß, dass du ein Freund von uns bist", sagte er.

Der Prinz machte ein verwirrtes Gesicht. „Wirklich?", fragte er.

Philipp nickte.

„Hm, ich denke, das wäre möglich",

105

sagte Alexander. Er räusperte sich und holte tief Luft. „Wo seid ihr mit ihm gewesen?", fragte er. Die Wut war aus seiner Stimme verschwunden. Jetzt klang er nur neugierig.

„Wir sind durch die Stadt und dann die Hauptstraße entlanggeritten und dann noch ein bisschen über die Felder und Wiesen", erzählte Anne. „Ich wünschte, du wärst dabei gewesen!" Sie schwang ihr Bein über den Pferderücken und stieg ab.

Philipp stieg ebenfalls ab. Der Hengst schnaubte und stupste Philipp und Anne freundlich mit der Nase an. Anne kicherte. „Das kitzelt", sagte sie.

„Wie habt ihr ihn gezähmt?", fragte Alexander.

„Wir haben ihm zugehört", sagte Philipp.

„Zugehört?", wiederholte der Prinz. „Wie meinst du das?"

„Irgendwie … na ja … haben wir uns selbst total vergessen und unsere ganze Aufmerksamkeit auf ihn gerichtet", erklärte Philipp.

Alexander sah zu, wie Philipp und Anne
dem Hengst über die Mähne streichelten.
„Mein Vater hat geschworen, dass er an
dieses Pferd kein Gold verschwenden
wird", sagte er. „Aber ich ... ich sehe
etwas Besonderes in ihm. Ich glaube,
dass er ganz außergewöhnlich ist."

„Das ist er", stimmte Philipp ihm zu.
„Er ist unglaublich treu."

„Und er hat ein großes Herz", sagte
Anne.

„Ich weiß. Ich kann es sehen", sagte
Alexander.

„Vielleicht könntest du deinem Vater
vorschlagen, dass du selbst für ihn be-

zahlst", meinte Anne. „Bekommst du Taschengeld?"

„Ich weiß nicht, was das bedeutet", sagte Alexander. „Aber wie auch immer. Ich bezweifle, dass mein Vater auf irgendetwas eingeht, was ich vorschlage. Er interessiert sich nicht für meine Meinung oder meine Leistung."

„Das ist nicht richtig von deinem Vater", sagte Philipp. „Eines Tages wird man in allen Geschichtsbüchern über dich schreiben und dich Alexander den Großen nennen."

„Machst du dich über mich lustig?", fragte Alexander.

„Nein! Es stimmt, ich schwöre es", sagte Philipp.

„Glaube uns!", sagte Anne. „Wir wissen das."

„Hör zu", meinte Philipp. „Groß sein bedeutet aber nicht, dass man herumläuft und die ganze Zeit damit angibt, was für ein toller Kerl man ist."

„Erzähl nicht jedem, dass du ein lebendiger griechischer Gott bist", sagte

Anne. „Oder dass du der Herrscher des Universums wirst."

„Oder dass du der beste Athlet in der ganzen weiten Welt bist", fügte Philipp hinzu. „Du musst dich damit abfinden, dass du ein normaler Mensch bist, so wie jeder andere auch – egal, was du tust."

„Beleidigt ihr mich?", fragte Alexander.

„Nein!", beteuerte Philipp lächelnd. „Hör auf damit! Wir sind alle nur Menschen. Warum bist du nicht einfach ein bisschen mehr du selbst und lachst auch mal über dich? Es ist in Ordnung, wenn du Fehler machst und manchmal wie ein Narr dastehst."

„Philipp hat recht", sagte Anne. „Du musst akzeptieren, dass du manchmal großartig und manchmal schrecklich bist, manchmal stark und manchmal schwach."

Der Prinz runzelte die Stirn. „Ein Narr? Schrecklich? Schwach?", wiederholte er.

„Die Wahrheit ist: Niemand ist perfekt. Auch du nicht", sagte Philipp. „Also akzeptiere es."

„Du redest Unsinn", sagte Alexander.

„Man nennt das Bescheidenheit", sagte Philipp.

„Bescheidenheit?", wiederholte der Prinz langsam.

„Philipp!", rief Anne. „Guck mal!" Sie hielt den Ring dicht vor Philipps Gesicht. Der Ring der Wahrheit leuchtete, als würde er in Flammen stehen.

Philipp lächelte wieder. „Ja. Bescheidenheit", sagte er zum Prinzen. Das war ein Geheimnis wahrer Größe.

„Aber ihr könnt doch nicht erwarten, dass ich bescheiden durch die Welt schreite", sagte Alexander und schüttelte den Kopf. „Kein mächtiger König würde das tun."

„Ich weiß nicht, was man als mächtiger König so alles tun muss, aber innerlich kannst du doch trotzdem bescheiden sein", sagte Anne. „Und wenn du das bist, dann verspreche ich dir, dass dein Pferd dir vertrauen wird."

„Da ist er!", ertönte eine raue Stimme.

Philipp, Anne und Alexander drehten sich um. Zwei Stallknechte kamen auf sie zu. Der eine hielt eine Peitsche in der Hand.

„Ihr sucht nach diesem Pferd?", fragte der Prinz streng. Er stellte sich zwischen den Hengst und die Männer.

„Der König will ihn noch mal sehen, zusammen mit den anderen auf dem Reitplatz", antwortete der eine Mann. Er ging um Alexander herum auf den Hengst zu. Als der Schatten des Manns auf Bukephalos fiel, schnaubte der Hengst laut und zuckte zurück.

Alexander sprang dem Stallknecht in den Weg. „Halt dich von ihm fern!", befahl er dem Mann. „Lass ihn in Ruhe!"

Der Stallknecht trat zurück.

„Verschwindet!", rief Alexander.

Die beiden Knechte drehten sich um und gingen in den Stall zurück.

Buki schnaubte.

„Sch, mein Freund", sagte Alexander sanft. Er trat auf den Hengst zu. „Du musst keine Angst haben."

Der Hengst schüttelte die Mähne und machte einen Schritt rückwärts.

„Alexander, hör ihm zu!", wisperte Philipp.

„Denk dran … sei bescheiden", flüsterte Anne.

Alexander blieb stehen und blickte dem Hengst in die Augen. Der Hengst starrte zurück. Langsam streckte der Prinz die Hand aus und strich dem Pferd über die Stirn. „Etwas hat dich eben erschreckt, stimmt's?", fragte er leise. „Als der Mann auf dich zugekommen ist. Was war es?"

Buki blinzelte und senkte den Kopf.

„Der … Schatten?", fragte Alexander. Der Prinz hielt ganz still. Buki hob den Kopf. Einen Moment lang starrten Alexander und er sich an.

Dann drehte sich Alexander zu den Geschwistern um. „Ich habe zugehört und ich habe ihn verstanden", sagte er erstaunt. „Er hat Angst vor Schatten. Ich muss darauf achten, dass ich nur auf seinen Rücken steigen darf, wenn wir beide Richtung Sonne schauen."

Philipp und Anne grinsten sich an. Philipp wusste nicht, ob Alexander wirklich die Gedanken des Hengstes gehört hatte, aber er wusste, dass die beiden sich von nun an verstehen würden.

„Du solltest deinem Vater zeigen, dass du Bukephalos reiten kannst", sagte Anne zum Prinzen.

Alexander nickte. „Ja", erwiderte er mit glänzenden Augen. Er sah wie ein neuer Mensch aus. „Ja, das werde ich."

„Gut", sagte Philipp. „Geh zum König! Wir bringen Bukephalos zum Reitplatz.

„Vielen Dank", sagte Alexander. Er lief los und verschwand um die Stallecke.

„Komm, Buki!", sagte Philipp.

Philipp und Anne führten den Hengst durch den Stall. Bevor sie ihn auf den

Reitplatz hinausließen, blieben sie kurz stehen. Der Hengst schnaubte und senkte den Kopf. Philipp und Anne streichelten ihm über Hals und Nase.

„Bitte hilf Alexander, Buki", sagte Philipp. „Er braucht einen treuen Freund. Und du auch."

„Wir lieben dich", sagte Anne. „Vergiss das nicht."

Ein Stallbursche erschien am Tor. „Bukephalos!", rief er.

Philipp und Anne traten zurück. „Sei großartig, Bukephalos!", sagte Philipp mit kratziger Stimme.

Bukephalos sah sie aus seinen dunklen Augen sanft an, dann folgte er dem Stallburschen hinaus auf den Reitplatz.

„Komm", sagte Anne. „Lass uns zusehen!"

Philipp und Anne liefen zur hinteren Stalltür. Sie rannten ins gleißende Sonnenlicht hinaus und um das Gebäude herum zum Reitplatz.

Der König, seine Gefährten und Aristoteles standen am Zaun. Prinz

Alexander war bei seinem Vater. Alle
Augen waren auf den schwarzen Hengst
gerichtet, der über den Platz trottete,
seinen Kopf hin und her warf und
schnaubte.

„Guten Morgen!", rief Aristoteles Philipp
und Anne zu und sie gesellten sich zu ihm.

„Der König hat gestern Abend und heute
Morgen nach euch gefragt", flüsterte er
ihnen zu. „Was habt ihr gemacht?"

„Trainiert", wisperte Anne.

„Wen trainiert?", fragte der Philosoph.

„Den Hengst", erwiderte Anne.

„Den Prinzen", antwortete Philipp.

Aristoteles zog die Augenbrauen hoch, aber bevor er etwas sagen konnte, ertönte die Stimme des Königs. „Komm zurück, du Dummkopf!"

Philipp, Anne und Aristoteles sahen zum Reitplatz.

Prinz Alexander war über den Zaun gesprungen. Er ging auf den schwarzen Hengst zu.

Der höchste Ehrenrang

„Alexander! Versuche nicht, auf ihm zu reiten!", schrie der König. „Sei kein Narr!"

Alexander rannte über den Platz. Er trat an Bukephalos' Seite und lief neben ihm her. Als sie beide mit dem Gesicht der Sonne zugewandt waren, schwang er sich auf den Pferderücken.

Bukephalos fing an zu traben. Hengst und Junge bewegten sich in perfektem Rhythmus miteinander und ritten Runde um Runde.

Die Gefährten des Königs klatschten und jubelten.

Philipp, Anne und Aristoteles applaudierten auch. König Philipp sah erstaunt zu.

Der Prinz hob den rechten Arm und winkte den Geschwistern vor Freude triumphierend zu.

Lachend winkten sie zurück.

„Du bist großartig, Buki!", rief Anne.

Der Hengst wieherte.

117

Da fing der König an zu klatschen.
Er lächelte Alexander stolz an.

„Erstaunlich!", sagte Aristoteles. „Der
Hengst wird als Pferd des Prinzen den
höchsten Ehrenrang einnehmen."

„Super", sagte Philipp. Er seufzte, dann
sah er Anne an. „Bist du bereit für die
Heimreise?"

„Bin ich", erwiderte sie grinsend.

„Müsst ihr schon gehen?", fragte
Aristoteles. „Ich weiß, dass König Philipp
euch einladen möchte, noch einige Zeit
im Königshaus zu verweilen. Wollt ihr nicht
bleiben und mir bei der Erziehung von
Alexander helfen?"

„Nein. Wir müssen zurück zu unseren
Eltern", sagte Anne.

„Keine Sorge", sagte Philipp. „Sie
werden das mit Alexander sehr gut
machen. Eines Tages wird das die ganze
Welt sagen."

„Erinnern Sie ihn nur daran, bescheiden
zu sein", sagte Anne.

„Bescheiden?", fragte der Philosoph.

„Ja", erwiderte Philipp. „Bringen Sie

ihm bei, dass ein Geheimnis wahrer Größe Bescheidenheit ist. Und dass er großartig genug ist, um gleichzeitig auch bescheiden sein zu können."

„Auch wenn nur er, Bukephalos und Sie das wissen", fügte Anne hinzu.

„Ich werde daran denken", sagte Aristoteles.

„Vielen Dank für Ihre Hilfe", sagte Philipp.

„Sagen Sie Alexander Auf Wiedersehen von uns", bat Anne ihn.

Philipp und Anne gingen vom Zaun weg und liefen zu dem steinigen Pfad, der den Hügel hinunterführte. Sie liefen über die knirschenden Kiesel bis zum Marktplatz.

Dann gingen sie zur Hauptstraße und wanderten aus der Stadt.

Sie kamen an dem Feld vorbei, auf dem die Soldaten immer noch auf und ab marschierten. Sie kamen an dem Schäfer und seinen Schafen, am Ziegenhirten und seinen Ziegen und dem Bauernhof vorbei. Sie liefen an den Kuhweiden vorbei, bis sie schließlich zu dem Olivenwäldchen kamen. Sie wollten gerade zwischen die Bäume treten, als sie hinter sich ein herangaloppierendes Pferd hörten.

Sie drehten sich um und entdeckten Alexander, der auf Bukephalos herandonnerte. Staubwolken wirbelten hinter ihnen auf.

„Philipp! Anne!", rief Alexander. Er brachte Bukephalos zum Stehen.

Der Hengst schüttelte seine Mähne, dann senkte er den Kopf und wieherte sanft. Philipp und Anne rieben ihm über die Nüstern. „Hallo", sagte Philipp. „Es ist schön, dich noch mal zu sehen!"

Der Prinz war außer Atem. „Ihr … ihr habt nicht Auf Wiedersehen gesagt", keuchte er.

„Entschuldigung", sagte Philipp.

„Wir müssen nach Hause", erklärte Anne.

„Du hast das super gemacht", sagte Philipp.

„Ja, wirklich", stimmte Anne zu. „Du und Bukephalos seid wie füreinander geschaffen."

„Mein Vater denkt das auch", erzählte Alexander und lächelte breit. „Nachdem er mich reiten gesehen hat, sagte er zu mir: ‚Mein Sohn, besser du suchst nach einem größeren Königreich, denn meines wird für dich nicht groß genug sein!'"

„Oh, Mann", sagte Philipp. „So viel zur Bescheidenheit."

Alexander lachte. „Vielen Dank für alles, was ihr für mich getan habt", sagte er.

„Bitte sehr", erwiderte Anne. „Hab eine schöne Zeit mit Bukephalos."

„Die werde ich haben. Dank euch habe ich Lust, mit ihm durch die ganze Welt zu reisen", erzählte Alexander. „Euretwegen möchte ich alles wissen – über Koala-bären, Kängurus und einfach alles."

„Das ist toll", freute Anne sich.

„Euretwegen möchte ich Denker, Wissenschaftler und Reisende um mich versammeln", redete Alexander weiter.

„Super", freute Philipp sich.

„Euretwegen möchte ich meine Freude in die ganze Welt hinausschreien!", rief Alexander.

Philipp lächelte. „Tu das. Schreie in die Welt hinaus!", sagte er.

„Das werde ich! Auf Wiedersehen, meine Freunde", sagte der Prinz. „Wir reiten zum Heer und sehen nach, wie das Training läuft!" Er wendete Bukephalos und sie galoppierten davon.

„Lass den Soldaten mal eine Verschnaufpause!", rief Anne ihm nach.

Philipp lachte. „Komm", sagte er.

Er und Anne rannten durch den Olivenwald zur Strickleiter. Sie kletterten ins
Baumhaus und blickten aus dem Fenster.
In der Ferne konnten sie den Prinzen
mit seinem außergewöhnlichen Pferd
sehen.

„Ich könnte mir vorstellen, dass sie
gleich abheben und in den Himmel
hochfliegen", sagte Anne. „Auf Buki zu
reiten, hat sich fast so angefühlt wie
fliegen."

Philipp wurde es schwer ums Herz,
als er zusah, wie Alexander und Bukephalos in einer Staubwolke verschwanden.
„Auf Wiedersehen, Buki", sagte er.

„Tschüs, Buki", sagte Anne.

Philipp seufzte. „Das Gute ist, dass
Buki für den Rest seines Lebens einen
Ehrenrang einnehmen wird."

„Und Alexander hat einen Freund fürs
Leben gefunden", ergänzte Anne.

Philipp hob ihr Pepper-Hill-Buch auf.
Er deutete auf ein Bild vom Wald. „Ich
wünschte, wir wären zu Hause!"

Wind kam auf.

Das Baumhaus fing an, sich zu drehen.

Es drehte sich schneller und immer schneller.

Dann war alles wieder still.

Totenstill.

Eine leichte Sommerbrise wehte durch das Fenster des Baumhauses. Philipp und Anne trugen wieder ihre eigenen Kleider.

„Mission erfüllt", sagte Philipp.

„Ich lasse den Ring besser hier", meinte Anne. Sie zog den Ring der Wahrheit von ihrem Finger und legte ihn auf eine sonnenbeschienene Stelle auf dem Boden. Philipp legte das Fläschchen mit dem magischen Nebel und das Buch über Mazedonien daneben.

„Gut. Gehen wir", sagte Anne.

„Warte! Wie können wir dem Geheimnis wahrer Größe einen Ehrenplatz geben?", fragte Philipp.

Anne zuckte mit den Schultern. „Wir könnten es einfach aufschreiben."

„Ich denke, das geht in Ordnung",

meinte Philipp. Vorsichtig riss er ein Blatt aus seinem Notizbuch und schrieb in Großbuchstaben darauf:

BESCHEIDENHEIT

Philipp schob den Zettel unter den Ring der Wahrheit. Vielleicht war es nur das Sonnenlicht, aber der Ring schien auf einmal etwas heller zu leuchten.

Philipp schulterte seinen Rucksack. „Fertig?", fragte er.

„Ja", antwortete Anne. „Lass uns gehen und unsere Freude in die Welt hinaus- schreien!"

„Ja, warum nicht?!", sagte Philipp lachend.

Die Geschwister kletterten die Strick- leiter hinunter. Dann liefen sie durch den schattigen Wald. Die Luft roch nach Sommer, Vögel zwitscherten.

„Es ist schön, wieder zu Hause zu sein", sagte Anne.

„Ja, sehr", stimmte Philipp ihr zu.

Sie kamen zum Waldrand, überquerten die Straße und liefen den Bürgersteig entlang.

„Ich habe Durst", sagte Philipp.

„Ich auch", meinte Anne. „Wir können etwas von Papas Limonade trinken."

„Ja, lecker!", antwortete Philipp.

„Ich bin wirklich froh, dass Papa unser Vater ist und nicht König Philipp der Zweite von Mazedonien", sagte Anne.

„Erzähl das mal Papa!", meinte Philipp.

„Ja, das werde ich", rief Anne fröhlich. „Er wird total verwirrt sein." Sie lachten beide und rannten dann nach Hause.

Mary Pope Osborne lernte schon als Kind viele Länder kennen. Mit ihrer Familie lebte sie in Österreich, Oklahoma, Florida und anderswo in Amerika. Nach ihrem Studium zog es sie wieder in die Ferne und sie reiste viele Monate durch Asien. Schließlich begann sie zu schreiben und ist damit außerordentlich erfolgreich. Bis heute sind schon über fünfzig Bücher von Mary Pope Osborne erschienen. Das magische Baumhaus ist in den USA und in Deutschland eine der beliebtesten Kinderbuchreihen.

Petra Theissen, 1969 geboren, studierte nach dem Abitur Grafikdesign an der Fachhochschule in Münster. Seit Abschluss ihres Studiums ist sie als freie Werbe- und Kinderbuchillustratorin tätig und mag mit niemandem tauschen: Sie kann sich keinen schöneren Beruf vorstellen.

Das magische Baumhaus

Band 41
ISBN 978-3-7855-7093-7

Band 42
ISBN 978-3-7855-7116-3

Band 43
ISBN 978-3-7855-7065-4

Band 44
ISBN 978-3-7855-7416-4

Band 45
ISBN 978-3-7855-7662-5

Band 46
ISBN 978-3-7855-7683-0

Jeder Band
ein Abenteuer!

Loewe